學錯文法很可怕！

錯誤的文法句型，一旦在腦中形成，要改實在是太難了！中外文法書中錯誤的句型，一定要釐清。

$$\text{If} + S + V\cdots, S + \begin{Bmatrix} \text{shall} \\ \text{will} \end{Bmatrix} + V_{原}\cdots$$

學錯文法規則，一輩子英文學不好。有些文法書把上面這個公式列為「假設法」，說是表不確定的未來，學了這個公式，英文就被它害了，你不敢造出：If you are right, I am wrong. 或 If I said that, I was mistaken. 之類的句子。這個公式是**「直說法的未來式」**，**「直說法」有 12 種時態，不是只有未來式**。

If you are right,
- I am wrong.【正】
- I was wrong.【正】
- I will be wrong.【正】
- I have been wrong.【正】

（以上四句：句意正確）

- *I had been wrong.*【誤】
- *I will have been wrong.*【誤】
- *I am being wrong.*【誤】
- *I was being wrong.*【誤】
- *I will be being wrong.*【誤】
- *I have been being wrong.*【誤】
- *I had been being wrong.*【誤】
- *I will have been being wrong.*【誤】

（以上八句：句意不合理）

※ 只要句意合理，主要子句用現在式、過去式、未來式，和現在完成式都正確。其他 8 種時態句意不合理，所以錯。

If you are right, I am wrong.
這句話是「直說法的現在式」，if 引導副詞子句，表「條件」。

If you are right, I was wrong.
這個句子是「直說法的過去式」，if 引導副詞子句，表「條件」，句子的時態應視主要子句而定。

那什麼是「假設法」？只要說話者心中存在假想的概念，就是假設法，**should, would, could, might 是假設法的助動詞**。You ***should*** go.（你應該去。）說這句話的時候，說話者認為你現在或未來不打算去，所以才用 **should** 表示假設法的現在式和未來式。

$$\text{If} + S + V_{過}\cdots, S + \begin{Bmatrix}\text{should}\\ \text{could}\\ \text{would}\\ \text{might}\end{Bmatrix} + V_{原}\cdots$$

這是假設法的現在式和未來式的公式沒錯，但是不能被它限制住，不是所有的句子都可套用這個公式，要看句意而定。例如，*If I said that, I would be mistaken.*（誤）這個句子合乎這個公式，但句意不合理，因為 If I said that 不可能表示「我現在沒說」，一定是「直說法的過去式」，表示「我不知道我說了沒有」，心中沒有存在假想的概念，應改成：

If I said that, I would have been mistaken.【正】
【if 子句是直說法的過去式，主要子句是假設法的過去式】

If I had said that, I would have been mistaken.【正】
【if 子句為假設法的過去式，主要子句是假設法的過去式】
※ 這句話就合乎「假設法過去式」的公式了。

所以，「直說法」有 12 種時態，「假設法」有 3 種時態，該用現在式就用現在式，該用過去式就用過去式。if 子句不一定是假設法，也許是直說法，要看句意。**最重要的是，寫句子的時候，我們要脫離公式的限制**，你想的是真的，敘述的是事實，就用「直說法」，有 12 種時態，不管它是 if 子句或主要子句，都可以混用。

If I were you, I would go now.【假設法現在式】

If I were you, I would have gone yesterday.【假設法過去式】
【假設法現在式】（不可寫成：*If I had been you*，句意不合理，我又不是死了。）

If I were you, I would go tomorrow.【假設法未來式】
【假設法現在式】

※ 這三個句子都是假設法，可以證明公式只是參考，不能被它限制。
假設法的三種時態，if 子句的時態和語法不一定要配合主要子句。

第五冊「文法寶典」非常精彩，像「倒裝句」，為什麼倒裝，以及未倒裝的情況都有說明；「省略句」為什麼省略，原來是什麼樣的情況，都有明確的交待。例如：Thank you. 是 *I* thank you. 的省略。Had a good time?（玩得愉快嗎？）是 *You* had a good time? 的省略，知道原因後，你說起英文會更有信心。

這次修訂附加上歷屆**「大學入學考試」、「高中入學考試」英文試題勘誤表**，題目錯在哪裡？為什麼出錯？都清清楚楚。英文很難，中國人出題，如未經美籍專家校對，很危險。值得慶幸的是，2010 年的升大學「指考」英文試題出得很嚴謹，只有一個錯誤。

劉 毅

CONTENTS

第十一篇　特殊構句

第一章　倒裝句

第二章　省略句

第三章　插入語

第四章　否定構句

練習一～十

【附錄 —— 大學、高中入學考試英文試題勘誤表】

第十篇　介系詞（Prepositions）

第一章 概　論（Introduction）

I. **定義**：所謂「介系詞」是用來指明其後面的受詞和其前面之名詞或動詞之關係，通常置於受詞的前面，故又稱「**前置詞**」。

The book is { ***on*** / ***in*** / ***by*** / ***near*** / ***under*** } the desk.（那書是在桌子 { 上。）/ 裡。）【在抽屜裡】/ 旁。）/ 附近。）/ 下。）}

They walked
- ***across*** the park.（他們走過公園。）
- ***around*** the park.（他們繞著公園走。）
- ***under*** the bridge.（他們在橋下走。）
- ***down*** the street.（他們沿街而行。）
- ***over*** the hill.（他們走過山丘。）
- ***on*** the sidewalk.（他們走在人行道上。）

【注意】① 有些介系詞與連接詞同屬一個字形，可依其在句中的功用辨別：

> 介系詞後跟名詞。
> 連接詞後面跟的是子句。

The train had started just ***before*** my reaching the station.
（before：介系詞）
（在我到達車站之前，火車剛開出。）

The train had started just ***before*** I reached the station.
（before：連接詞）
（在我到達車站之前，火車剛開出。）

② 有些介系詞與副詞同屬一個字形，區別在於：

> 有受詞者爲介系詞。
> 無受詞者爲副詞。

下面各例句中的介詞可作副詞用，如果省略括弧中的字，則句中斜黑字就是副詞，若不省略便是介系詞。

I have never seen him ***before*** (this time).（我以前從未見過他。）

We have not heard anything of him ***since*** (then).
（從那時起，我們不曾聽到他的任何消息。）

Long skirts are ***in*** (fashion) again.（長裙又流行了。）

Come ***along*** (with me).（跟我來。）

II. 介系詞的種類：按形態區分有下列四大類。

<table>
<tr><td rowspan="12">介系詞的分類</td><td>簡單介系詞</td><td colspan="3">只有單獨一個字的介系詞
after, at, by, for, down, from, in, on, of, off, over, since, through, till, to, under, up, with,…</td></tr>
<tr><td>複合介系詞</td><td colspan="3">由兩個單一字合成的介系詞
(1)字首加 “a-” (= on) 的有：
aboard, about, above, across, against, along, among, amidst, around,…
(2)字首加 “be-” (= by) 的有：
before, behind, below, beneath, beside, besides, between, beyond,…
(3)其他的有：
into, inside, onto, outside, throughout, towards, until, upon, within, without, underneath,…</td></tr>
<tr><td rowspan="5">片語介系詞</td><td colspan="3">(1)「形容詞、分詞或副詞 + 介系詞」的有：
according to, away from, down to, inside of, near to, opposite to, over against, owing to, up to,…</td></tr>
<tr><td colspan="3">(2)「連接詞 + 介系詞」的有：
as for, as to, because of,…</td></tr>
<tr><td colspan="3">(3)「介系詞 + 介系詞」(又稱雙重介詞) 的有：
from among, from behind, from under, till after, in between,…</td></tr>
<tr><td colspan="3">(4)「介系詞 + 名詞 + 介系詞」的有：
at the cost of, by means of, for the sake of, for want of, in front of, in regard to, in spite of, on account of, with regard to,…</td></tr>
<tr><td colspan="3">(5)其他：(連接詞 + 分詞 + 介系詞) as compared with
(名詞 + 介系詞) thanks to
(連接詞 + 動詞) as regards as concerns (參照 p.500)</td></tr>
<tr><td rowspan="5">由其他詞類轉用者</td><td rowspan="2">(1)分　詞</td><td>現在分詞</td><td>concerning (關於)，considering (就…而論)，during (在…期間)，excepting (除…之外)，including (包括)，barring (除…之外)，notwithstanding (雖然)，regarding (關於)，respecting (關於)，pending (在…之中；到…爲止)，saving (除…之外)，touching (關於)</td></tr>
<tr><td>過去分詞</td><td>except (除…之外)，past (過了)</td></tr>
<tr><td colspan="2">(2)形容詞或副詞</td><td>like (像)，near (接近)，opposite (在…對面)，unlike (不像)，round (繞著)，save (除…之外)，next (緊靠…旁邊)，worth (値得)</td></tr>
<tr><td colspan="2">(3)名　詞</td><td>despite (儘管)</td></tr>
<tr><td colspan="2">(4)連接詞</td><td>than, but (除…之外)</td></tr>
</table>

※ 片語介系詞 (Phrase Preposition) 與介系詞片語 (Prepositional Phrase) 不同。(參閱 p.21)

Ⅲ.介系詞片語的功用：

<table>
<tr><td rowspan="5">介系詞片語的功用</td><td rowspan="3">作形容詞用</td><td>⑴修飾名詞或其相當詞。
A bird in the hand is worth two in the bush.（一鳥在手勝過二鳥在林。）
Birds of a feather flock together.（物以類聚。）
The man with a stick in his hand is my teacher.
（手中拿著棍子的人是我的老師。）</td></tr>
<tr><td>⑵做主詞補語。
Your grade is below average.（你的分數在平均値以下。）
It is of no use to try to persuade him.（想要說服他是沒有用的。）
The dictionary will prove to be of great service to students.
（這部字典對學生將會有很大的幫助。）</td></tr>
<tr><td>⑶做受詞補語。
You will find the story of special interest to women.
（你會發現這個故事對女人特別具有吸引力。）
They consider the matter of no importance.（他們認爲那件事不重要。）
We thought the plan of no avail.（我們以爲這個計劃沒有用。）</td></tr>
<tr><td>作副詞用</td><td>The napkin is placed beside the plate.（餐巾放在盤子旁邊。）
I have a taxi waiting for you at the door.（我叫了一部計程車在門口等你。）
There is a car parked in front of the house.（房子前面停著一輛車。）</td></tr>
<tr><td>造成介詞動詞</td><td>不及物動詞後面接介詞，形成不可分的片語，稱爲介詞動詞。
I came across an old friend of mine.（我偶然遇到一位老朋友。）
The father got after the children severely.（父親嚴厲地責罵孩子。）
Economic problems brought about a war.（經濟問題引起一場戰爭。）</td></tr>
</table>

【註】有時因爲句意的需要，介詞片語還可當名詞片語用，做介詞的受詞。

Please stay till ***after dinner***.（請留到晚餐後再走。）
The moon rises from ***behind the hill***.（月亮從山後升起。）
The book cannot be sold for ***under fifty dollars***.（這本書低於五十元不賣。）

其他例子：

from ***below the river***（從河的下游）
from ***behind the curtain***（從幕後）
till ***after examination***（到考試後）
till ***after sunset***（到太陽下山後）
from ***under the desk***（從桌子底下）
from ***among the crowd***（從人群中）
from ***behind the tree***（從樹後面）
since ***before the war***（自戰前以來）

IV. 介系詞的省略：

1. **副詞性的受詞前介系詞常被省略。**

「介系詞 + 名詞」形成副詞片語，若將介系詞省略，剩下的名詞在形式上則成爲動詞之受詞，事實上仍具有原來副詞片語的性質，此時所剩下的名詞稱爲**副詞性的受詞**，這就是名詞當副詞用的由來。這些做受詞的名詞，通常是表示時間、距離、重量、價值、次數、程度、狀態等名詞。(參照 p.100)

He has already waited (*for*) ***two hours***. (他已經等了兩小時。)

I came home (*at*) ***about four***. (我大約四點鐘回家。)

I walked (*for*) ***ten miles***. (我走了十哩。)
(*At*) ***What time*** will he be here? (他何時會在這裡？)
You must not treat him (*in*) ***that way***. (你不可以那樣對待他。)
They bound him (*by*) ***hand and foot***. (他們把他的手腳綑起來了。)

2. **「of + 形容詞 + 名詞」做補語時，其中的 of 常被省略。**

此種片語多半用來表示大小、年齡、形狀、顏色、價格等。
They are (*of*) ***the same age***. (他們同年齡。)
The chimneys are (*of*) ***the same height***. (這些煙囪一樣高。)
(*Of*) ***What size*** is your hat? 〔你的帽子 (大小) 幾號？〕
Have you seen any fish (*of*) ***that size***? (你是否看過那樣大小的魚？)
The door was (*of*) ***dark red***. (那門是深紅色的。)
(*Of*) ***What price*** is this article? (此物價格如何？)

3. **near, next, opposite 等之後的 to 常被省略。**

The school is ***near*** (*to*) the park. (學校靠近公園。)
She sat ***next*** (*to*) me. (她坐在我旁邊。)
His office is ***opposite*** (*to*) ours. (他的辦公室在我們的正對面。)

【註】"next to" 若作「幾乎」解時，不可省略 to。
It is ***next to*** impossible. (那幾乎是不可能的。)

4. **由對等連接詞** and, or, not only…but (also)…, either…or…, both…and…,…**等或** instead of **連接的兩個介系詞片語，若介系詞相同時，第二個介系詞通常被省略。**

You may go ***by land*** or (*by*) ***water***. (你可以由陸路或水路去。)
It is a matter ***of life*** and (*of*) ***death***. (那是一件生死攸關的事。)
If you want to be wealthy, think not only ***of getting*** but (*of*) ***saving***.
(如果你想成爲富人，就不能只想到賺錢，還要想到存錢。)
We raise many million sheep, both ***for wool*** and (*for*) ***mutton***.
(我們爲了羊毛和羊肉，飼養了幾百萬頭羊。)

Few countries can produce all that they require either ***for food*** or (*for*) ***clothing***.
（很少國家能生產衣或食的一切必需品。）
This summer I am going ***to Tainan*** instead of (*to*) ***Taipei***.
（今年夏天我要去台南，而不去台北。）

【註 1】如果重點是放在兩個不同的觀念上，則第二個介詞不予省略。

Do you prefer traveling ***by night*** or ***by day***?（你喜歡夜間旅行，還是白天旅行？）
The phrases "***by observation***" and "***by experiment***" distinguish the two different methods of testing the truth of something.
（「藉觀察」和「藉實驗」是測試事情眞相兩種不同的方法。）

【註 2】and 或 or 連接的兩個介詞片語的受詞相同時，常將第一個受詞省略，而成爲由 and 或 or 連接兩個介詞，其後再接一個受詞。

Whether he is ***for*** or ***against*** us, we can not tell.【for 之後省略掉 us】
（他是支持我們還是反對，我們不知道。）
He was pacing ***up*** and ***down*** the room.【up 之後省略掉 the room】
（他在房間裡走來走去。）
She would not speak ***to*** or even look ***at*** him.【to 之後省略掉 him】
（她不願跟他說話，連看也不願看他。）
The boy was still so weak that he was carried ***to*** and ***from*** his bed.
（這男孩的身體仍然很虛弱，所以要別人扶他上下床。）【to 之後省略掉 his bed】

5. **動名詞之前介系詞的省略。**

(1) **busy**（忙碌），**employ**（從事），**lose**（浪費），**occupy**（忙碌；從事），**pass**（度過；消磨），**spend**（花費），**waste**（浪費）等動詞接受詞，再接動名詞時，是動名詞之前的介詞省略了。

She ***busied herself*** (*in*) ***tidying*** up her desk.（她忙於收拾她的書桌。）
He ***employs himself*** (*in*) ***writing***.（他從事寫作。）
I shall ***lose no time*** (*in*) ***beginning*** the work.【lose no time 把握時間】
（我必須把握時間開始工作。）

(2) **busy**（忙碌的），**employed**（從事於），**engaged**（從事於），**late**（遲的），**occupied**（忙碌的），**weary**（厭倦的）等形容詞或當形容詞的過去分詞接動名詞，也是省略了動名詞前的介詞。

He ***was busy*** (*in*) ***preparing*** for the examination.（他忙於準備考試。）
She ***was employed*** (*in*) ***learning*** something useful at that time.
（當時她正在學習一些有用的東西。）
She ***is engaged*** (*in*) ***planning*** her summer trip.（她正在計劃她的夏季旅行。）

(3) have business 和 have difficulty (trouble, fun, a hard time, a good time) 接動名詞時，也是動名詞之前省略了介詞 in。（詳見 p.444）

He ***has no business*** (*in*) ***saying*** such things about me.（他無權談論這些與我有關的事情。）

第二章 主要介系詞的用法

1. about

⑴ 作「**關於；有關**」解，相當於 “with regard to; concerning”

He talked ***about*** his family.（他談到他的家人。）

⑵ 作「**到處**」解，相當於 “here and there in”

I walked ***about*** the town with her.（我和她在城裡到處逛。）

⑶ 作「**在…附近**」解，相當於 “near (to)”

I lost my pen ***about*** here.（我把筆遺失在這附近。）

⑷ 作「**在…周圍**」解，相當於 “(a)round”

There is a fence ***about*** the garden.（花園周圍有圍牆。）

⑸ 作「**在…身上（身邊）；在手頭**」解，相當於 “on *or* near the body of”

There is a strange smell ***about*** him.（他身上有一股怪味。）

⑹ 作「**從事；忙於**」解，相當於 “concerned *or* occupied with”

What are you ***about***?（你在做什麼？）

【**註**】作「大約」解的 about 是副詞，相當於 “a little more or less; a little before or after” 用來表示數量、時間、距離、形狀、尺寸等。

Give me ***about*** ten dollars.（請給我大約十元。）
It is ***about*** nine o'clock.（現在大約是九點。）
We walked ***about*** five miles.（我們大約走了五哩。）

2. above

⑴ **表位置的高出**，作「**高於；在…之上**」解，相當於 “higher than; over”

The sun rose ***above*** the horizon.（太陽升起到地平面之上。）

⑵ **表等級的高出**，作「**地位高於；優於**」解，相當於 “higher in rank *or* power than”

A colonel is ***above*** a major.（上校的地位高於少校。）
He is ***above*** the others in ability.（他的能力優於別人。）

⑶ **表數量、價格的高出**，作「**多於；超過**」解，相當於 “greater in number, price, weight, etc.”

The temperature has been ***above*** the average recently.（氣溫近來超乎尋常。）
There is nothing in this shop ***above*** (= over) five hundred dollars.
（這個店裡沒有一樣東西價錢超過五百元。）
The weight of this rock is ***above*** one ton.（這石頭的重量超過一噸。）

⑷ **表價值的高出**，作「**勝於**」解，相當於 “more than”

A miser loves gold ***above*** his life.（守財奴愛財勝於愛他的生命。）

⑸ **表道德的高出**，作「**不屑；不願**」解。(參照 p.444)

He is ***above*** taking profits for himself. (他不屑爲他自己謀利。)

⑹ 作「**超越；非…所能及**」解，相當於 “beyond; out of reach of”

His heroism was ***above*** (= beyond) all praise. (他的英勇讓人稱讚不盡。)

He is ***above*** reproach. (他是無可責難的。)

⑺ 作「**在…北方；在…上游；比…更前(遠)**」解。

The ship sank just ***above*** the islands. (船在群島正北方沉沒。)

There is a water mill ***above*** the bridge. (這座橋的上游有個水車。)

Run to the first house ***above*** the school. (跑到學校前方的第一間房子。)

3. **across**

⑴ 作「**橫過**」解，相當於 “from one side to the other of”

He swam ***across*** the river. (他游過河。)

⑵ 作「**在…的另一邊；在…對面**」解，相當於 “on the opposite side of”

He lives ***across*** the river. (他住在河的對岸。)

⑶ 作「**交叉；成十字形**」解，相當於 “so as to form a cross; so as to cross *or* intersect”

He laid two sticks ***across*** each other. (他把兩根棍子交叉地放著。)

⑷ 與 come, run, drop 連用，作「**偶然遇到或發現**」解，相當於 “meet *or* find by chance”

I ***came across*** him in Taipei. (我在台北偶然遇見他。)

I ***ran across*** my old friend Hill in Paris last week.

(上星期我在巴黎偶然遇見老友希爾。)

4. **after**

⑴ **表時間**，作「**在…之後**」解，相當於 “later than”

He went to bed ***after*** supper. (他吃完晚飯後上床。)

⑵ **表順序**，作「**在…之後**」解，相當於 “following”

I’ll come ***after*** you. (我將隨你之後去。)

⑶ **表位置**，作「**在…之後**」解，相當於 “behind”

Shut the door ***after*** you. (關上你後面的門 —— 隨手關門。)

⑷ 作「**鑒於；由於**」解，相當於 “in view of; as a result of”

After the selfish way she acted, who could like her?

(由於她行爲自私，誰還喜歡她？)

⑸ 作「**雖然；儘管**」解，後面通常接 all，相當於 “in spite of”

After all his labors, he failed. (他雖然努力，還是失敗了。)

(6) 作「**仿照**」解，相當於 "in the manner *or* style of"

This is a painting ***after*** Raphael.（這是一幅模仿拉斐爾的畫。）

(7) 作「**依照**」解，相當於 "according to"

He was named ***after*** his uncle.（他以他叔叔之名爲名。）

(8) 與動詞連用，作「**追趕；搜尋；詢問**」解。

The policeman ran ***after*** the thief.（警察追趕小偷。）

He is ***after*** you.（他在找你。）

(9) 用在 "～after～" 的句型中，表示「**連續；許多**」的意思。

day ***after*** day（日復一日地）	bus ***after*** bus（公共汽車一輛接一輛地）
year ***after*** year（年復一年地）	shot ***after*** shot（一槍接著一槍地）
wave ***after*** wave（一波又一波地）	one ***after*** another〔(三者以上）一個接著一個地〕
time ***after*** time（一次又一次地）	one ***after*** the other（兩者輪流地）
page ***after*** page（一頁又一頁地）	

5. **against**

(1) 作「**反對**」解，相當於 "in opposition to"

There were 20 votes for him and 12 ***against*** him.（有二十票贊成他，而十二票反對他。）

(2) 作「**防備；預防**」解，相當於 "in preparation for; in anticipation of"

We all need some savings ***against*** a rainy day.（我們都需要儲蓄一些錢以備不時之需。）

(3) 作「**抵抗；抵禦**」解，相當於 "as a defence *or* protection from"

We are all taking medicine ***against*** the disease.（我們都在服藥以抵抗疾病。）

(4) 作「**違反；犯；禁止**」解。

This is ***against*** the law.（這是犯法的。）

The hotel has a rule ***against*** keeping animals in the rooms.
（這旅館有一項規定，禁止在房間裡飼養動物。）

(5) 作「**不利於…**」解。

The evidence is ***against*** him.（證據對他不利。）

(6) 作「**逆…；對著**」解，相當於 "in an opposite direction to"

I swam ***against*** the stream.（我逆流而游。）

This pine tree stands ***against*** our dormitory.（這棵松樹就在我們的宿舍前面。）

(7) 作「**襯托；相映；對照；以…爲背景**」解，相當於 "in contrast to; having as a background"

Mt. Ali is beautiful ***against*** the sky.（阿里山在天空的襯托下很美麗。）

(8) 作「**對比；比較**」解。

He was elected president of our class by a majority of forty votes ***against*** seven.
（他以四十票對七票之多數被選爲我們的班長。）

⑼ 作「**靠；倚；接觸**」解。

I sat ***against*** the warm wall.（我靠著暖和的牆壁坐著。）
The ladder was placed ***against*** the wall.（梯子靠著牆放著。）

⑽ **against** 與 beat, dash, hit, push, run, strike 等動詞連用，作「**打在…；撞到…；碰到…**」解。

Rain ***beats against*** the window.（雨打在窗戶上。）
He ***hit against*** a tree.（他撞到了樹。）
Don't ***push against*** the fence.（不要推撞籬笆。）

⑾ **against** 與 over 連用，作「**面對；相對；在…的正對面**」解。

We live ***over against*** the temple.（我們住在那寺廟的正對面。）

6. **along**

⑴ 作「**沿著**」解，相當於 "towards the end of"

We took a walk ***along*** the shore.（我們沿著岸邊散步。）
The plants grow ***along*** the river banks.（這些植物沿著河流兩岸生長。）

【**註 1**】 **along** 可表示動作的方向，也可表示靜態的位置。**alongside** 表示靜態的位置，作「**沿著或靠著…的旁邊；傍靠**」解，相當於 "close to the side of; along the side of"

The ship lies ***alongside*** the pier.（這艘船靠著碼頭停泊。）

【**註 2**】 across 爲 along 的反義字，across 表示和一線（面）或方向交叉而過之意，along 則表示沿著一線（面）的方向而行之意。如下圖所示：

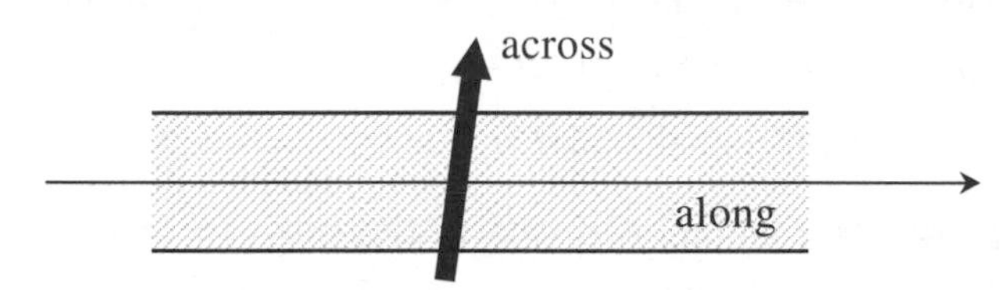

A road runs ***across*** the plain.（一條路橫過平原。）
I walk ***along*** the street.（我沿著街道走。）

⑵ 作「**在…的過程中；在…期間**」解。

Somewhere ***along*** the journey I lost my hat.（我在旅途中的某處，遺失了我的帽子。）

⑶ 作「**根據；按照**」解。

Along the lines just stated, I suggest we start the new project.
（我建議我們根據剛才說的原則，開始這項新計劃。）

⑷ **along with** 作「**和…一起**」解，相當於 "together with"

We sent them ***along with*** other things.（我們把它們和別的東西一起送去。）
Put it over there, ***along with*** the others.（把它放在那裡，和其餘的在一起。）

7. **amid(st)**

作「**在…當中；被…包圍著**」解，相當於 “in the middle of; surrounded by”

The tower stood ***amid*** the ruins.（這座塔聳立於廢墟中。）

They built a hut ***amid*** the woods.（他們在森林中蓋了一間小屋。）

8. **among**

⑴ 作「**在…當中；被…所圍繞**」解，相當於 “in the middle of; surrounded by”

He built a house ***among*** the trees.（他在樹林中蓋了一棟房子。）

The town lies ***among*** the mountains.（這個城鎮位於群山中。── 被群山所圍繞。）

⑵ 表示三人以上之分配，作「**分配給…**」解，相當於 “in shares to each of (three *or* more)”

Divide the cake ***among*** them.（把蛋糕分給他們。）

They distributed food ***among*** the refugees.（他們分配食物給難民。）

⑶ 作「**在…之中；其中之一**（與最高級連用）」解。

The book is the best ***among*** modern novels.（在現代小說中，那本是最好的。）

Paris is ***among*** the largest cities in the world.

（= Paris is one of the largest cities in the world.）

（巴黎是世界上最大的都市之一。）

⑷ 作「**共同；合力**」解，相當於 “in association with”

We decided this ***among*** us.（我們共同決定這件事。）

They set up a new hospital ***among*** them.（他們合力創立了一間新的醫院。）

⑸ among 後面接 ~selves，作「**互相；自行**」解，相當於 “through the common action of”

They fought ***among themselves***.（他們互相打架。）

Settle it ***among yourselves***.（你們自行處理這件事。）

⑹ **from among** 作「**從…中**」解，among 與後面的名詞當作名詞片語用，做 from 的受詞。

Choose a book ***from among*** these.（從這些書中挑選一本。）

He appeared ***from among*** the trees.（他從樹林中出現了。）

【**註 1**】 amongst 意義與 among 相同，但 amongst 是文學的（literary）和古典的用字，現代英語中不普遍。

【**註 2**】 among 和 amid(st) 的比較：

1. among 多用於表示「**處於易分辨的事物中**」。
   amidst 多用於表示「**處於混雜的事物之中**」。

We noticed him ***among*** the crowd.【此人在人群中易於分辨】

（我們在人群中注意到他。）

The thief is ***amidst*** the crowd.【小偷混在人群中不易分辨】

（小偷在人群中。）

2. { among 多用於表示「**同類事物中**」。
amidst 多用於表示「**不同的事物之中**」。

He was found ***among*** the dead.【與死者同類即是死了】
（他在死者之中被發現。── 他死了。）

He was found ***amidst*** the dead.【與死者不同類，故仍是活的】
（他在死者之中被發現。── 他仍活著。）

3. { among 多用於表示「**友好的、善意的事物中**」。
amidst 多用於表示「**敵對、困難或危險中**」。

They told me to set my mind at rest for I was ***among*** friends.【友好事物中】
（他們叫我放心，因為我的周圍都是朋友。）

I know I was ***amidst*** my enemies.【敵對事物中】
（我知道我的周圍都是敵人。）

He stood firm ***amidst*** the temptations.【處於困難、危險中】
（他在種種誘惑中處之泰然。）

4. { among 之後通常接複數名詞，或集合名詞。
amidst 之後可接單、複數名詞，接單數名詞時表示「在（抽象名詞）之間」。

He fell ***among*** thieves.（他與盜賊為伍。）【among 接複數名詞】

I saw him ***among*** the crowd.【among 接集合名詞】
（我看見他在人群之中。）

The actress finally found herself ***amid(st)*** general applause and laughter.
（這女演員最後發現她在大眾的掌聲和笑聲之中。）【amid(st) 可接抽象名詞】

9. **around; round**

(1) 作「**在…四周；圍繞**」解時，around 和 round 的用法有所區別：

around 通常表示靜態的位置。

The students stood ***around*** him.（學生站在他的四周。）
He put the necklace ***around*** her neck.（他把項鍊戴在她的脖子上。）
Woods lay ***around*** the house.（房子的四周都是樹林。）

round 可表示靜態的位置，亦可表示動態的動作。

We sat ***round*** the fire.【表靜態的位置】
（我們圍坐在火的四周。）

The planets move ***round*** the sun in the same direction and nearly on the same plane.
（這些行星以同一方向且約在同一平面上繞著太陽運行。）【表動態的動作】

I conducted the stranger in a circle ***round*** the house.【表動態的動作】
（我引導這陌生人繞屋走一圈。）

Let us walk ***round*** the pond.【表動態的動作】
（讓我們繞著池塘走吧。）

【註】若依文法規則而言，around 用於表示靜態，round 用於表示動態。但英國不論靜態或動態多用 round，而美國不論動態或靜態多用 around。因此在非正式用法中，around 和 round 可以互用，但一般多使用 round。

⑵ 作「**各處；到處**」解，相當於 "in all directions"。此種用法中，英美人多用 round，較少用 around。

We took them ***round*** the town.（我們帶他們到城裡四處遊逛。）
They look ***round*** the room.（他們在房間裡四處環顧。）
He leaves his books ***around*** the house.（他在屋裡把書到處亂丟。）

⑶ **表示方向改變**，作「**轉過**」解，此種用法中，英國人多用 round，美國人多用 around。

The ship sailed ***round*** a cape.（船航行繞過海岬。）
Whether he sailed directly across the bay or coasted ***round*** it is uncertain.
（我們無法確知他是直接橫過海灣的，或是沿海岸而航行的。）

⑷ 作「**在…附近**」解，此種用法中，美國人多用 around, near 或 about；但英國人通常只用 near 或 about。

The boys were swimming { ***around*** / ***near*** / ***about*** } the boat.
（那些小男孩在小船附近游泳。）【美國用法】

They are playing { ***around*** / ***near*** / ***about*** } the house.（他們正在房子附近玩耍。）【美國用法】

We took a walk { ***about*** / ***near*** } the pond.（我們在池塘附近散步。）【英國用法】

⑸ 作「**大約；近似**」解，相當於 "about; approximate(ly)"

He asked me to come here ***around*** ten o'clock.（他要我十點左右來。）
His father left him ***around*** a million dollars.（他父親遺留給他大約一百萬元。）
He called on her ***round*** noon.（他在中午左右去拜訪她。）

【註】(a)round 與 about 的比較：

(a)round 和 about 皆可表示「在…四周」、「到處；各處」。其中 (a)round 指有固定的中心或範圍的「周圍」，位置較有規則；而 about 指範圍較模糊不確定的「附近」，位置較不規則。如下圖所示：

They sat ***around*** the table.【強調在桌子的四周】
（他們圍坐在桌子四周。）
They sat ***about*** the table.【僅指在附近】
（他們坐在桌子附近。）

They built a fence ***around*** (***round***) the house.【較有規則】
（他們在房子的周圍建一個籬笆。）
He planted trees ***about*** the house.【較不規則】
（他在房子四周種樹。）

She wore a necklace ***around*** (***round***) her neck.【有固定的中心】
（她的脖子戴著一條項鍊。）
Her hair hung ***about*** her neck.【沒有固定的中心】
（她的頭髮披在脖子的周圍。）

10. at

(1) 作「**在…地點**」解，強調一精確的地點，常用來表示小地方。

You may mail letters ***at*** the post office.（你可以在郵局寄信。）
We met him ***at*** the station.（我們在車站接他。）

(2) 作「**在…附近；在…之旁**」解。

The maid is ***at*** the well.（佣人在井邊。）
She is sitting ***at*** her desk.（她正坐在書桌旁邊。）

(3) 表示出入口，作「**由…出入；經由**」解，相當於 "through; by"

Smoke came out ***at*** the chimney.（煙由煙囪冒出。）
Someone entered ***at*** this door just now.（有人剛從這個門進來。）

(4) 表示「**距離**」。

Keep such a man ***at*** a distance.（和這種人保持距離。）
A gun may be heard ***at*** a distance of ten miles.（槍聲可於十哩外聽見。）

(5) 表示時間的一定點，作「**在…時**」解。

The farmers go to work in the field ***at*** sunrise.（農夫在日出時去田裡工作。）
I usually get up ***at*** six.（我通常在六點鐘起床。）
At the sight of her mother, she leaped for joy.（她一看到她母親，就高興得跳起來。）
= *When she saw her mother*, she leaped for joy.

(6) 表示年齡，作「**在…歲的時候**」解。

He passed away ***at*** the age of forty.（他於四十歲時去世了。）
At the age of 13, he went with his parents to live in America.
（在十三歲時，他就和他的父母去美國居住了。）
The picture of her was taken ***at*** the age of twenty.
（她這張相片是在她二十歲時拍的。）

⑺ 表示「**節日**」。

All our family will reunite ***at*** Chinese New Year.（我們全家人將在農曆新年團聚。）

【**註**】如果用在指明此節日的某一特定的日子或早、晚，則須用 on，而不可用 at。

on New Year's Day（在元旦時）　　***on*** New Year's Eve（在除夕）

on Christmas Eve（在聖誕節前夕）　　***on*** Easter Sunday（在復活節）

⑻ 表示「**順序**」。

At first it seemed very easy, but it soon got more difficult.

（起初它似乎是很容易，但不久就變得比較困難了。）

He was finally successful ***at*** the third attempt.（他在第三次嘗試的時候，終於成功了。）

⑼ 表示「**間隔；次數**」。

The train starts ***at*** the interval of an hour.【表間隔】

（火車一小時一班。）

Do not attend to two things ***at*** a time.（不要同時做兩件事。）

⑽ 表示目的或方向，作「**對準…；向…**」解。

The boy threw a stone ***at*** the bird.（這小男孩用石頭丟那隻鳥。）

He took a glance ***at*** the painting.（他向這幅畫瞄了一眼。）

⑾ 表示從事於某種活動，作「**正在做…**」解。

What are you ***at*** now?（你現在在做什麼？）

He is now ***at*** table.（他現在在吃飯。）

【**類例**】

at cards（在玩牌）　　at table（在吃飯）

at (*or* in) church（在教堂做禮拜）　　at the desk（在讀書、寫作中）

at dinner（在吃飯）　　at the telephone（在打電話）

at school（在學校上課）　　at the theater（正在看戲）

* in school（在求學中）　　* in the theater（在戲院裡）

⑿ 表示狀態或情況，作「**在…中；處於…中**」解。

She lives ***at*** her ease.（她過著安逸的生活。）

Business is ***at*** a standstill.（生意停頓。）

The two countries were ***at*** war.（這兩國在交戰中。）

【**類例**】

at one's convenience（在某人方便時）　　at peace（和平相處）

at the height（在高潮；到高峰）　　at pleasure（隨時；隨意）

at home（舒適；在家）　　at odds（不和）

at leisure（有空的）　　at rest（安心的；靜止的；長眠的）

at liberty（隨意地；自由地）　　at the zenith（在顛峰時期）

⒀ 表示「**態度；樣子**」。

He eats it ***at*** a mouthful.（他一口吃了它。）

He drank up ***at*** a draft.（他一口氣喝完。）

I finished it ***at*** one sitting.（我一口氣把它做完。）

【**類例**】

at a blow（一擊之下）	at a glance（一瞥；一眼）
at a bound（一躍）	at a stretch（一口氣）
at a draught (draft)（一口氣）	at a stroke（一舉；一下子）

⒁ 表示速率，作「**以…的速度**」解。

The bus runs ***at*** the rate of 40 miles an hour.（這公車以每小時四十哩的速度行駛。）

The train was running ***at*** full speed.（火車正全速前進。）

⒂ 表示價格，作「**以…的價格；以…的代價**」解。

The car was sold ***at*** a good price.（這部車以好的價格賣出去了。）

The house was built ***at*** an immense cost.（這房子花了龐大的費用來建造。）

All pleasure must be bought ***at*** the price of pain.（所有的快樂都必須付出痛苦的代價。）

⒃ 表示原因，作「**因爲**」解。

The shipwrecked sailors were happy ***at*** the arrival of the rescue ship.
（遭遇船難的水手因救生船到達而高興。）

He is displeased ***at*** his son's bad conduct.（他因他兒子的不良行爲而不快樂。）

⒄ 作「**應…的請求；依照**」解。

We did it ***at*** his request.（我們應他的請求而做。）

I entered ***at*** his bidding.（我奉他之命進入。）

⒅ 表示「**出席；在場**」。

I was ***at*** the funeral.（我參加了那場葬禮。）

Were you ***at*** the meeting?（你曾出席會議嗎？）

⒆ 用於下列成語中 be good at（擅長），be quick at（敏於；…很快），be skil(l)ful at（精於），be slow at（對…遲鈍）。

He ***is good at*** translation.（他擅長翻譯。）

He ***is quick at*** picking up languages.（他學語言學得很快。）

He ***is skillful at*** billiards.（他精於打撞球。）

She ***is slow at*** accounts.（她對帳目總是搞不清楚。）

11. before

⑴ 表示**時間**，作「**在…以前**」解，相當於 "earlier than"

Please come ***before*** nine o'clock.（請九點鐘以前來。）

We must find a hotel ***before*** dark.（我們必須在天黑以前找到旅館。）

⑵ 表示**順序或排列**，作「**在…之前**」解，相當於 "in front of"，爲 after 之相反詞。

F comes ***before*** G.（F 在 G 之前。）

In English the verb comes ***before*** the object.（在英文中，動詞在受詞之前。）

⑶ 表示**位置**，作「**在…之前**」解，相當於 "in front of"，爲 behind 的相反詞。

He walks ***before*** me.（他走在我的前面。）

We plant some flowers ***before*** our house.（我們在房子前面種一些花。）

【**註**】before 用於表位置時，等於 "in front of"。除了在 sail before the mast（擔任普通水手），sail before the wind（乘風而航；順風行駛），carry all before one（極爲成功）等少數片語使用 before 之外，一般情形用 in front of 比用 before 爲佳，尤其是在表示具體的事物多用 in front of。

There are some trees { ***in front of***【較佳】/ ***before***【正】} the house.（房子前面有一些樹。）

⑷ 作「**在…的面前**」解，相當於 "in the presence of"

He was respectful ***before*** his boss.（他在老板的面前是很恭敬的。）

He made a speech ***before*** a large audience.（他在一大群聽衆面前演說。）

【**註**】before 在此種用法不等於 in front of。

⑸ 表示**地位或價値**，作「**位在…之上；重於**」解，相當於 "in a higher *or* more important position than"

A major is ***before*** a captain.（少校位在上尉之上。）

We put freedom ***before*** fame.（我們把自由看得比名聲重要。）

⑹ 作「**寧…而不…**」解，相當於 "rather than; in preference to"

She chooses death ***before*** dishonor.（她寧死不受辱。）

I would do anything ***before*** that.（我什麼都願意做，卻不願做那件事。）

⑺ 表示「**前途或未來**」。

A bright future is ***before*** him.（他有光明的前途。）

12. **behind**

⑴ 表示**靜態的位置**，作「**在…的後面**」解，相當於 "in (*or* at) the back of"

There is a garden ***behind*** the house.（在屋後有一個花園。）

He sat ***behind*** me.（他坐在我的後面。）

比較下列兩句：

Shut the door ***behind*** you.（把你後面的門關上。）【指靜態位置的在後】

Shut the door ***after*** you.【指進（出）之後】

（把你後面的門關上。── 請隨手關門。）

(2) 表示**動態的動作**，作「**向…的後面**」解，相當於 "to the back of"

Put my walking stick ***behind*** the door. (把我的手杖放在門後。)

We ran ***behind*** the house. (我們跑向房子的後面。)

(3) 作「**較…落後；不如…**」解，相當於 "inferior to"

I am ***behind*** him in English. (我的英文不如他。)

That country is ***behind*** China in development. (該國的發展不及中國。)

(4) 作「**留於身後；走後留下**」解，相當於 "remaining after"

The dead man left a family ***behind*** him. (死者身後留下一家人。)

She left six children ***behind*** her. (她走後留下六個小孩。)

(5) 作「**時間已經過去了；已經結束了**」解。

Your schooldays will soon be far ***behind*** you. (你的學生時代不久即將過去了。)

(6) 作「**晚於**」解。

Today you come here ***behind*** your usual time. (今天你來得比平常晚。)

He arrived ten minutes ***behind*** time. (他遲到十分鐘。)

【**註**】
- behind time　延誤；遲到 (對一定的時刻而言)
- late for　延誤；遲到 (對一定的事物而言)
- behind the times　落伍；過時；趕不上時代

The train is ***behind*** (*its*) ***time***. (火車遲於預定的時間。)

I was ***late for*** supper. (我晚餐遲到了。)

Her dress was extremely ***behind the times***. (她的服裝非常過時。)

(7) 作「**支持；在後扶助；做靠山**」解，相當於 "in support of"

My friends are ***behind*** me. (我的朋友支持我。)

He is ***behind*** the movement. (他暗中支持該運動。)

You have influential men ***behind*** you. (你有有勢力的人作爲靠山。)

(8) 作「**隱藏於後；暗藏**」解。

There must be something ***behind*** it. (其中必有隱情。)

There is a smile ***behind*** his frown. (他的愁眉之後藏著微笑。)

There is something ***behind*** his suggestion. (他的建議中含有其他的意思。)

【**註**】此種用法的 behind 常構成下列成語：

behind closed doors (偷偷地；秘密地)
behind one's back (在…的背後；私底下)
behind the curtain (在幕後)
behind the scenes (在幕後)

(9) 作「**置之腦後；不予考慮**」解。

He put the idea ***behind*** him. (他把這個主意置之腦後。── 他對這個主意不予考慮。)

13. below

⑴ 表示位置，作「**低於；在…下面**」解。

The Dead Sea is ***below*** sea level.（死海的海面低於海平面。）
When the sun sets, it goes ***below*** the horizon.（日落時太陽沉沒在地平線下。）

⑵ 表示**身份、地位**，作「**低於**」解，相當於 "lower in rank than"

A captain in the army ranks ***below*** a captain in the navy.
（陸軍上尉的階級低於海軍上校。）【captain 在陸軍官階是上尉，而在海軍官階是上校】
I am ***below*** him in social position.（我的社會地位比他低。）

⑶ 表示**數量（目）**，作「**低於；小於；少於**」解，相當於 "lower in amount than"，below 在此種用法中可表示「年齡、溫度、價錢」等，且可與 under 互相通用。

He can't be much { ***below*** / ***under*** } sixty.（他的年齡不可能比六十歲小很多。）

The temperature is six degrees { ***below*** / ***under*** } zero.（溫度是零下六度。）

There is nothing { ***below*** / ***under*** } five shillings.（沒有一件東西價錢在五先令以下。）

⑷ 表示**能力、程度**，作「**不如；劣於**」解。

His scholarship is ***below*** hers.（他的學問不如她。）
Your work is ***below*** the average.〔你的工作（成績）在一般水準之下。〕
This composition is ***below*** the mark.（這篇作文不及格。）

⑸ 作「**不值得；其價值低於；與…不相稱**」解，相當於 "not worthy of"，此種用法中 below 可與 beneath 互相通用。

This is ***below*** consideration.（這是不值得考慮的。）
It is ***below*** my dignity to do such a thing.
（我不屑做這樣的事情。── 做這種事有失我的尊嚴。）

⑹ 作「**在…之下游**」解，與 above（在…上游）相反。（參閱 p.549）

They are swimming a few miles ***below*** the waterfall.（他們在瀑布下游的數哩處游泳。）

⑺ 作「**在…南方**」解，與 above（在…北方）相反。（參閱 p.549）

The Philippine Islands are ***below*** Taiwan.（菲律賓群島在台灣南方。）

14. beneath

⑴ 表示位置（幾乎）緊接觸在某物之下，作「**在…之下；在…下面**」解。見下圖，為 on 的相反詞。

He is buried ***beneath*** this stone.（他長眠於這塊墓石之下。）
I found the knife ***beneath*** the napkin.
（我在餐巾下面找到了刀子。）
We live ***beneath*** the same roof.
（我們住在同一個屋頂下。── 我們住在一起。）

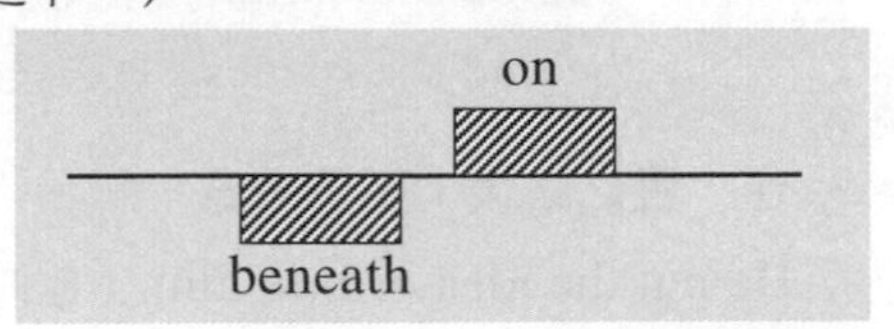

⑵ 由「緊接觸在某物之下」而引申爲表能力、階級等的「**低於；不如**」。

A captain is ***beneath*** a major.（上尉低於少校。）

He is ***beneath*** me in education.（他所受的教育不如我。）

⑶ 引申作「**在…的壓制或影響之下**」解，相當於 "under the control *or* influence of"

He fell ***beneath*** the burden.（他被重擔壓倒了。）

We saw many trees bent down ***beneath*** their weight of fruit.

（我們看到很多樹木因果實的重量而彎曲。）

⑷ 引申作「**不值得；其價值低於；有失…的身份**」解，相當於 "not worthy of"，可與 below 通用。

His book is ***beneath*** criticism.（他的書不值得批評。）

It is ***beneath*** you to complain.（抱怨有失你的身份。）

15. **beside**

⑴ 作「**在…的旁邊；在…的近旁**」解，相當於 "at the side of; close to"

Grass grows ***beside*** the brook.（草長在溪邊。）

The bride stands ***beside*** the bridegroom.（新娘站在新郎的身旁。）

⑵ 作「**與…無關**」解。

This is ***beside*** the matter in hand.（這和此事無關。）

Your suggestion is ***beside*** our present purpose.（你的建議和我們現在的目的無關。）

【**註**】beside 在此種用法造成下列成語：

beside the mark
beside the point　}（離題的；不切中要點的）
beside the question

Your argument is altogether ***beside the mark***.（你的論點根本沒切中要點。）

Your remark is ***beside the point***.（你的評論是文不對題。）

That remark is ***beside the question***.（那評論是和問題脫節的。）

⑶ 作「**和…相比；和…比較**」解，相當於 "compared with"

Beside his efforts ours seem small.（與他的努力相比，我們的努力似乎微不足道了。）

His merit is too little ***beside*** yours.（他的功績和你的比起來相去甚多。）

【**註**】set beside 作「**與…同等；可與…相比**」解。

There's no one to ***set beside*** him as a general.（作爲一個將軍，他是無與倫比的。）

⑷ beside oneself 作「**忘形；發狂**」解，相當於 "almost mad"

Don't speak to him when he is ***beside himself*** with anger.（在他狂怒時，不要和他說話。）

16. **besides**

⑴ 作「**除了…之外（還有）**」解，相當於 "in addition to; as well as"

I have another hat ***besides*** this.（除了這頂之外，我還有另一頂帽子。）

⑵ **用在否定句**，作「**除了…之外再也沒有**」解，相當於“except”，besides 在此種用法中與 but 和 except 通用。

He doesn't have another house { ***besides*** / ***but*** / ***except*** } this.（除了這棟房子之外，他沒有別的房子。）

【**註 1**】beside 和 besides 的比較：

beside 大都用於「在…旁邊」之意，而 besides 則多用於「除…之外（還有）」之意。

There is a pine tree ***beside*** the gate.（大門旁有一棵松樹。）

He has a large income ***besides*** his salary.（他除了薪水之外，還有很多收入。）

【**註 2**】besides 和 except 的比較，參照 p.571。

17. **between**

⑴ 表示兩者之間的關係，作「**在…之間**」解，可以表示位置、時間、順序、階級、距離、數量等。

The train makes several stops ***between*** Taipei and Taichung.
（火車在台北和台中之間停好幾次。）

I have classes ***between*** nine and twelve o'clock.（九點到十二點之間我有課。）

An army major ranks ***between*** a captain and a colonel.
（陸軍少校的階級在上尉與中校之間。）

They walk ***between*** three and five miles every day.（他們每天走三哩至五哩的路程。）

The relation ***between*** teacher and pupil is not what it used to be.
（師生之間的關係已經和以前不同。）

⑵ 表示性質，作「**介於…之間**」解。

The flavor is ***between*** sour and sweet.（味道介於酸和甜之間。）

⑶ 表示二者之間的分配，作「**分享**」解。

Share the money ***between*** you.（你們二人平分這筆錢。）

【**註**】between ourselves = between you and me（這是我們之間的秘密；不要告訴外人）

Between ourselves, he won't live long.（他活不久了，這你可別告訴別人喔。）

⑷ 表示聯合，作「**合力；共同**」解，用於二者或二者以上皆可。

They caught twelve fish ***between*** them.（他們合力捕獲十二條魚。）

Between them they soon finished the work.（他們大家一起動手，不久就把工作完成了。）

⑸ 表示原因與 and 連用，作「**由於…和…雙重原因**」解，相當於“because of…and…combined”

Between astonishment ***and*** despair she hardly knew what to do.
（在驚訝和絕望的雙重打擊下，她簡直不知道該怎麼辦。）

My time is fully taken up ***between*** writing ***and*** lecturing.
（我的時間完全用在寫作與演講上面。）

【註】among 和 between 的比較：

1. among 通常用於三個或三個以上的受詞的情形，而 between 通常用於二個受詞的情形。

2. 但用於強調各個之間互相的關係或境界關係時，between 可用於三個以上的受詞的情形。

A treaty was concluded ***between*** the five powers.【表互相的關係】
（五強之間已締結條約。）

Switzerland lies ***between*** France, Italy, Austria, and Germany.【表境界關係】
（瑞士位於法國、義大利、奧地利和德國之間。）

18. beyond

⑴ 作「**在或向…的那一邊；超越**」解，相當於 "at, on, *or* to the farther side of"

The river is ***beyond*** the hill.（那條河是在山的那一邊。）

Don't go ***beyond*** the last house.（不要走過最後一家。）

【註】beyond 表示超越一個面之意；across 表示橫越一條線之意。

The school lies ***beyond*** the hill.【一座山可視爲一個面】
（學校在山的那一邊。）

His house is ***across*** the river.【一條河可視爲一條線】
（他家在河的對岸。）

⑵ 表示時間的超越，作「**超過；晚於**」解，相當於 "later than"，但不如 after 常用。

Don't stay out { ***after***【較佳】 / ***beyond***【正】 } ten o'clock.（不要在外面逗留超過十點鐘。）

⑶ 表示抽象意義的超越，作「**超出…的範圍；爲…所不能及**」解，相當於 "exceeding; out of reach of"

The beauty of the scenery is ***beyond*** description.
（風景之美已超出筆墨所能形容的範圍。）

The dying man is ***beyond*** help.（這個將死的人已無法可救。）

He lives ***beyond*** his income.（他的生活入不敷出。）

⑷ 用於否定句和疑問句，作「**除了…之外**」解，相當於 "except"

I will pay nothing ***beyond*** the stated price.（我不願付比定價更多的錢。）

Is there any hotel ***beyond*** this?（除了這家之外，還有別家旅館嗎？）

19. **but**

當介系詞，作「**除了…之外**」解，與 except 相似，但 except 的語氣比 but 強。**此種做介系詞用法的 but** 常用於下列情況中：

① 用在否定字 no one, none, nothing, nobody, nowhere 等之後。

He listens to *no one* ***but*** you.
（他除了你以外不聽他人的話。── 他只聽你的話。）

He eats *nothing* ***but*** fruit.（他除了水果以外其他都不吃。── 他只吃水果。）

② 用在 all, every～, any～ 等表示總稱的字之後。

I know them *all* ***but*** two.（除了二人之外，其餘的我都認識。）

Everybody went ***but*** myself (*or* me).（除了我自己之外，每個人都去了。）

I will do *anything* ***but*** this.（除此之外，我願做任何事。）

③ 與疑問詞連用。

What is he ***but*** a student?（他除了是一個學生，還會是什麼？）

Who ***but*** a madman would act thus?（除了瘋子之外，誰會這樣做？）

④ 與最高級形容詞或 first, next, last 等字連用，此種用法中 but 之後常接 one, two, three…等表數目的字。

He is *the tallest* boy ***but*** one in our class.
（他在我們班上是第二高的。── 只比一個矮。）

He is *the most powerful* man ***but*** one in England.（他是英國的第二號權力人物。）

Take the *next* turning ***but*** one on your left.（在你左方第二個轉彎處轉彎。）
= Take the second turning on your left.

I live in the *last* house ***but*** two in the street.（我住在這條街上倒數第三家。）
= I live in the third house from the end in this street.

【註 1】**besides 和 but 的比較：**

besides = in addition to〔除了…之外（還有）〕
but = except（除了…之外再沒有…）

There were five of us, ***besides*** the servants.（除了傭人外，我們有五個人。）

All of us were away { ***but*** / ***except*** } the servants.（除了傭人在家，我們全出去了。）

【註 2】 but 做介系詞的用法和做連接詞的用法，常常不能夠分得很清楚。但一般而言，若 but 之後接主格代名詞，but 可視爲連接詞，若 but 之後接受格代名詞，則視爲介系詞。

No one saw him ***but*** { ***I***.【but 視爲連接詞】 / ***me***.【but 視爲介系詞】 }

（除我以外沒人看到他。）

No one ***but*** { ***he*** / ***him*** } showed much interest in this proposal.

（除了他以外，別無一人對此提議感興趣。）

20. by

⑴ 表示靜態的位置，作「**在…的旁邊**」解，相當於 “near; beside”

His house stands ***by*** the river.（他的房子在河旁邊。）

The garden is ***by*** the house.（花園在房屋旁邊。）

【註 1】 beside 與 by 都可作「在…旁邊」解，兩者並沒有太大的分別，一般情形常可通用。**但 beside 比較強調左右兩側；而 by 表示前後左右的近旁**。如右圖。

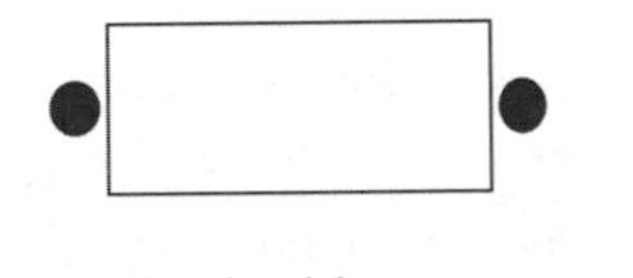

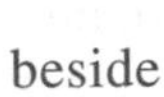

beside

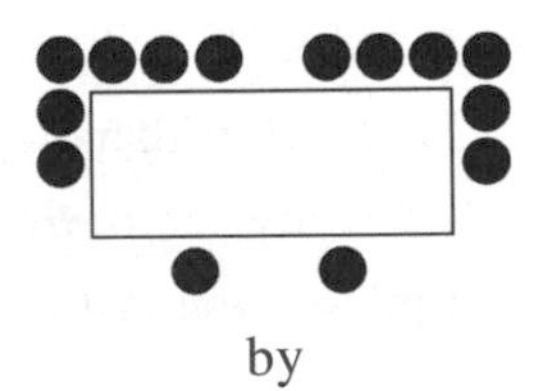

by

【註 2】 ***to stand beside one*** 表示「站在…旁邊」，而 ***to stand by one*** 可表示「站在…旁邊」，亦可表示「支持；援助」。因此要表示「站在…旁邊」時，用 beside 比較容易了解，不致混淆不清。

He is standing ***beside*** me.（他正站在我的旁邊。）

He stands ***by*** me. { （他站在我旁邊。） / （他支持我。） }

⑵ 表示動態的位置，作「**經過**」解，相當於 “past”

I go ***by*** his office every day.（我每天從他的辦公室旁經過。）

We passed ***by*** her.（我們從她的身旁過去。）

⑶ 表示移動的方向，作「**沿；經由；橫過；越過**」解，相當於 “along; through; across; over”

They went ***by*** the hill road.（他們沿著山路去。）

Go ***by*** the bridge.（由橋上走去。）

⑷ 表示方向，作「**偏向**」解，相當於 “towards”

The island lies south ***by*** east from here.（那島位於此地的東南方。—— 正南偏東）

They are sailing in the direction of north ***by*** east.

（他們正朝著正北偏東的方向航行。）

⑸ 作「**在…期間**」解，相當於 “during”

He works ***by*** night, and sleeps ***by*** day.（他在晚上工作，而在白天睡覺。）

Do you like to swim ***by*** moonlight?（你喜歡在月光下游泳嗎？）

【註】 此種用法中的 by 用在 day, night, daylight, moonlight…等字之前時，by 之後的字詞不可加定冠詞 the。

⑹ 作「**最遲在…之前；到…的時候已經**」解，相當於 “not later than”

I will come back ***by*** six o'clock.（我將在六點以前回來。）

She ought to be here ***by*** now.（她現在應該已經到這裡了。）

⑺ 表示數量的單位，作「**以…計**」解，此時 by 之後若接單數名詞須加 the，但接複數名詞或抽象名詞時不加 the。

He is paid ***by the hour***.（他是以鐘點計薪。）

The refugees come here ***by thousands***.（難民數以千計地來到這裡。）

The freight was charged ***by weight***.（運費是以重量多少來計算。）

⑻ 表示相差的程度，作「**至…之程度**」解，相當於 “to the extent of”

He is taller than I ***by*** three inches.（他比我高三吋。）

He is my senior ***by*** three years.（他比我大三歲。）

I missed the last train ***by*** one minute.（我只差一分鐘沒趕上最後一班火車。）

⑼ 表示**相乘**或**計算面積**。

Nine ***by*** eight is seventy-two.（八乘九是七十二。）

The table is two feet ***by*** four.（這桌子是二呎寬四呎長。）

⑽ 表示連續或漸進，作「**逐一；一一**」解，此種用法中，by 多置於兩個相同的（代）名詞之間，造成 “～by～” 的形式。

He solved the problem ***step by step***.（他逐步解決問題。）

I count my dollars ***one by one***.（我一元一元地數我的錢。）

It becomes warmer ***day by day***.（天氣一天一天變暖和了。）

His father's health is improving ***little by little***.（他父親的健康正漸漸有起色。）

⑾ 作「**根據；依照**」解，相當於 “according to”

I set my watch ***by*** the standard clock of the custom house.
（我是按照海關的標準鐘來對準我的手錶。）

He does everything ***by*** the law.（他依法做每一件事。）

It is just three o'clock ***by*** my watch.（照我的手錶，現在剛好是三點。）

⑿ 表示關係，作「**關於…；在…方面**」解，相當於 “with respect to; in the matter of”

I know him ***by*** name.（我知道他的名字。）

He is a teacher ***by*** profession.（他的職業是老師。）

She is honest ***by*** nature.（她天性誠實。）

(13) 表示方法、方式，作「**藉…；靠…；以…；由於…**」解，相當於 “by means of; through”，by 在此種用法中可用在下列幾種情形：

① **by + 抽象名詞**

下列的成語均由 by + 抽象名詞造成：

by accident 偶然；意外地	by electricity 藉電力	by heart 默誦；熟記
by any chance 萬一	by entreaty 用懇求；用哀求	by mistake 錯誤地
by any possibility 萬一	by experience 靠經驗	by oversight 疏忽
by application 以勤勉	by force 用力量；以氣力	by persuasion 藉說服力
by chance 偶然	by good luck 僥倖	by stealth 秘密地；偷偷地
by diligence 以勤勉	= by good fortune	⋮
by effort 努力	by hard work 以努力	

He succeeded ***by application***.（他靠勤勉而成功。）
The engine is driven ***by electricity***.（引擎是用電力驅動。）
The money was taken from me ***by force***.（這筆錢是從我這裡強取去的。）
I know the whole poem ***by heart***.（我熟背這首詩。）
I know her ***by name*** and not ***by sight***.（我知她的名字而未見過她。）

② **by + 表抽象的普通名詞**（通常不加 the）

by 在此種用法中常造成下列三類表方法或方式的成語：

1. **表示一般行事的方法或方式：**

by appointment 約定	by contract 承包	by hand 用手
by auction 拍賣	by control 管理；控制	by machine(ry) 用機械
by compromise 和解；妥協	by ear 不看音符而奏出	⋮

We often met ***by appointment***.（我們經常相約見面。）
The bicycle is made ***by machine(ry)***.（這輛腳踏車是用機械製造的。）

比較下面兩個句子中 hand 的意義：

This was made ***by hand***.（這是用手工做的。）【hand 表抽象的意義】
She made this ***with her own hands***.【hands 做一般的普通名詞】
（她自己親手做這個。）

2. **表示傳達、傳遞的方式：**

by airmail 用航空郵件	by ordinary mail 以平信	by (tele)phone 用電話
by express 以快郵	by post 用郵寄	by e-mail 用電子郵件
by letter 用信件	by radio 以無線電	⋮

How did you send the letter, ***by airmail*** or ***by ordinary mail***?
（你怎樣寄這封信，用航空郵件還是以平信寄出？）
Let him know ***by letter***.（用信通知他。）
Did you inform him ***by e-mail***?（你用電子郵件通知他的嗎？）

3. **表示交通工具：**

by airplane 搭飛機	by motorcar 搭汽車	by tramcar (streetcar) 搭電車
by bicycle 騎腳踏車	by rail 搭火車	by train 搭火車
by boat 坐船	by ship 乘船	⋮
by bus 搭巴士	by steamer 坐汽船	⋮
by car 坐車	by taxi 搭計程車	

He went to Japan ***by airplane***.（他搭飛機到日本。）

He came ***by train*** but his wife came ***by bus***.
（他搭火車來，但他的太太則是搭巴士來。）

You can go there ***by tramcar***.（你可以搭電車到那裡。）

【注意 1】 in 和 on 亦可用來表示交通工具，但其後面的名詞須加冠詞或用複數。

Did you come { ***by train***? / ***in a train***? }（你是搭火車來的嗎？）

【注意 2】 有些表示交通工具的情形須用 on，如：on camelback（騎駱駝），on a donkey（騎驢子），on horseback（騎馬），on foot（步行）。

He goes to school ***on foot***.（他步行上學。）
He went downtown ***on horseback***.（他騎馬到市中心。）

【註】 少數單數普通名詞與 by 連用表抽象意義時，須加定冠詞 the，如：by the pen（靠寫作）。比較下列句子：

We live ***by the pen***.【by the pen 引申為表抽象的「靠寫作」】
（我們靠寫作維生。）

He began to write ***with a pen***.【with a pen 指「用一枝筆」的意思】
（他開始用筆寫字。）

③ **by + 動名詞**也可用來表示方法和方式。

No one in those days could live ***by writing*** poems.
（那時沒有人能靠寫詩來維持生活。）

I make my living ***by teaching*** English.（我以教英文謀生。）

Many people earn their living ***by working*** with their hands.
（許多人靠他們的雙手工作來維持生活。）

⒁ **表示動作、媒介**，常與 catch, hold, pull, seize, take…等動詞連用，此種用法中的 by 並不表示被動的意思。**by 之後的名詞須加 the，也不可用所有格代名詞代替 the**。（參照 p.221）

He *seized* me **by** *my* sleeve.【誤】
He *seized* me **by the** sleeve.（他抓住我的袖子。）【正】

The policeman *took* the thief **by the** arm.（警察抓著那小偷的手臂。）
Suddenly she *caught* him **by the** ear.（突然間她拉著他的耳朵。）

⒂ 表示被動語態中的動作者，作「**被…**」解。

He is respected ***by*** everybody.（他被大家所尊敬。）
The man was killed ***by*** a falling chimney.（那人被倒下的煙囪打死了。）
He was shot ***by*** a sniper.（他被狙擊兵擊斃。）

【**註**】by 表示動作的主體；with 表示動作者的手段或工具。

The bird was shot ***by*** him.【正】
（鳥被他射殺了。）
He shot the bird *by* a gun.【誤】
He shot the bird ***with*** a gun.（他用槍射鳥。）【正】

The town was destroyed ***by*** fire.【fire 是動作的主體】
（= Fire destroyed the town.）
（這城爲火災所毀。）
The town was destroyed ***with*** fire.【fire 是工具；動作的主體另有其人】
（= Someone destroyed the town ***with*** fire.）
（這城被人縱火燒毀。）

The man was killed ***by*** the thief ***with*** a knife.
（那人被小偷用刀殺死。）【the thief 是動作的主體；a knife 是工具】
This letter was written ***by*** me ***with*** a pencil.
（這封信是我用鉛筆寫的。）【me 是動作的主體；a pencil 是工具】

⒃ **用於誓言中**，表示「**如我對…的信仰一樣的確然**」解，相當於 “as surely as I believe in”

I swear ***by*** Almighty God that I will speak the truth.
（我對萬能的神發誓要說實話。）

21. down

⑴ 與動詞連用表示動作「**向下；自高至低**」。

He ran ***down*** the stairs.（他跑下樓梯。）
Let us walk ***down*** the hill together.（讓我們一起走下山吧。）
The tears ran ***down*** her face.（眼淚從她的臉上流下來。）

⑵ 表示動態的位置，但不一定指向下，作「**沿；循；向…**」解，相當於 “along”

He walked ***down*** the street.（他沿街而行。）
They have gone ***down*** to town.（他們已進城去了。）

⑶ 表示「在（向）…的較低處」，引申爲「**在（向）…的下游；順著；在（向）…的南方**」之意。

They live further ***down*** the river.（他們住在河的下游。）
The ship sailed ***down*** the river.（船順流航行。）
They are traveling ***down*** the country.（他們正在本國南部旅行。）

⑷ 表「**自**（較遠的時間）**至**（較近的時間）」，含有 "from a farther to a nearer period" 之意。

The story has come ***down*** the ages.（這故事由古至今流傳下來。）

22. during

⑴ 表示「**在…期間**」，相當於 "throughout the continuance of"

It rained a great deal ***during*** the year.（這一年當中下了很多雨。）
He was happy ***during*** his lifetime.（他一生都很快樂。）

⑵ 表示「**在…期間的某一時間**」，相當於 "at some point of time in the continuance of"

It rained ***during*** the night.（在夜間下了雨。）
I climbed the mountain ***during*** the vacation.（我在假期中爬了那座山。）

【**註**】比較 during 的兩種用法：

The boys played ***during*** the afternoon.【during the afternoon 指整個下午】
（男孩們整個下午都在玩。）

Come to see me ***during*** the afternoon.【during the afternoon 指下午的某一時間】
（請在下午來看我。）

23. except

⑴ 作「**除了…之外；但…不包括在內**」解，相當於 "not including; but not"，except 在此種用法中大致可以和 but 通用，但 except 的語氣較強。

We all went ***except*** Tom.
（除了湯姆之外，我們都去了；我們都去了，但不包括湯姆在內。）

Everyone is ready ***except*** you.（除了你以外，每一位都準備好了。）

She is always cheerful ***except*** when she is penniless.
（她除了沒有錢的時候之外都很快樂。）

⑵ except that —— 作「**除去…一點之外**」解，後面接名詞子句，相當於 "apart from the fact that"

She knew nothing about his journey ***except that*** he was likely to be away for three months.（關於他的旅行她不清楚，只知道他大概要離開三個月。）

【**註 1**】excepting 也是表示「除了…之外」的介系詞，意義與 except 相同。**但 excepting 通常放在句首，或在 not, always, without 之後。**

Excepting his son, they are all right.【Excepting 放在句首】
（除了他兒子之外，他們都安然無事。）

Everyone, not ***excepting*** myself, must share the blame.【excepting 放在 not 之後】
（每個人都必須受責備，我自己也不例外。）

【註 2】besides 是「**除了…之外（還有）**」，有「再加上」的意思；except 是「**除了…之外**」，有「減掉」的意思。（參照 p.564 besides 和 but 的比較）

All of them retired ***besides*** myself.
（除了我自己退休了之外，他們也全都退休了。── 我自己也退休了。）

All retired ***except*** myself.
（除了我自己之外，大家都退休了。── 只有我一個人留任。）

【註 3】從同類的人、物中除掉用 ***except***；不是從同類中的除掉，則用 ***except for***，有表示惋惜之意。通常作「**只是；除…一點之外**」解。

I go to school every day ***except*** *Sunday*.【從每天中除掉星期日，即同類中除掉】
（我每天上學，除了星期日外。）

The letter is good ***except for*** *the spelling*.
（那封信很通順，只是拼字有錯誤。）

24. for

⑴ 表示「**經過…的時間或距離**」，for 常被省略，尤其直接跟在動詞之後。

I haven't seen her ***for*** years.（我有幾年沒見到她了。）

The war lasted (***for***) four years.（戰爭持續了四年。）
【for 省略後，所剩的受詞稱爲副詞性的受詞，參照 p.100】

For miles and miles you see nothing but trees.
（迢迢千里，除了樹以外，你不見一物。）

We walked (***for***) a mile and ran (***for***) a mile.（我們走了一哩又跑了一哩。）

⑵ 表示目的地或方向，作「**向…；往…**」解，相當於 "in order to reach"

It is a train ***for*** Taichung.（那是開往台中的火車。）
He set off ***for*** Taipei this morning.（他今天早上動身去台北。）

⑶ 表示目的，作「**爲了…**」解，相當於 "for the purpose of"

I am going out { ***for*** / ***to take*** } a walk.（我正要出去散步。）

She read the letter ***for*** me.（她爲我讀這封信。）

⑷ for 常與表示希望、尋求、祈求、詢問等動詞連用。

We *wish* ***for*** peace.（我們希望和平。）【表希望】
I am *looking* ***for*** my pen.（我正在找我的筆。）【表尋求】
They *asked* ***for*** more information.（他們要求更多的消息。）【表祈求】
I *inquired* ***for*** the book at a bookstore.（我在一家書店查詢這本書。）【表詢問】

⑸ 表示「**交換**」，相當於 “in exchange for”

I sold the horse ***for*** ten dollars. (我把馬賣了十元。)

I paid five dollars ***for*** it. (我付了五元買它。)

Last night I received a delicious meal ***for*** nothing.
(昨天晚上我免費吃了美味的一餐。)

⑹ 作「**代替；代表**」解，相當於 “in place of; representing”

Shall I carry this ***for*** you? (我可以替你拿這個嗎？)

He sits ***for*** Manchester in Parliament. (他是代表曼徹斯特的議員。)

He is the agent ***for*** the firm. (他是這家公司的代理人。)

⑺ 作「**當作…**」解，相當於 “as; to be”，後面的名詞和形容詞都是當作補語。(參照 p.500)

I took him { ***for*** / ***to be*** } a fool. (我把他當作傻瓜看待。)

It was built { ***for*** / ***as*** } a pleasure boat. (這船建作遊艇之用。)

⑻ 表示原因或理由，作「**因為；由於**」解，相當於 “because of; on account of”

He was punished ***for*** stealing. (他因偷竊而受處罰。)

I can't see anything ***for*** the fog. (由於濃霧，我什麼都看不到。)

⑼ 用於比較級之後，表「**由於…的結果；因為**」，相當於 “as the result of; because of”

You look all the better ***for*** your holiday. (渡假後，你看起來更好了。)

This coat is the worse ***for*** wear. (這件外套穿得破舊不堪。)

= This coat is badly worn *as the result of* long wear.

⑽ 表示讓步，作「**雖然；儘管**」解，通常後面接 all，相當於 “in spite of; notwithstanding”
(參照 p.531)

For all his faults, we like him still. (雖然他有很多缺點，我們仍然喜歡他。)

For all his efforts, he didn't succeed. (儘管他很努力，他並未成功。)

⑾ 作「**就…而論；有鑒於**」解，相當於 “considering; in view of”

It was rather cold ***for*** August. (就八月而論，這算是很冷了。)

He worked well ***for*** such a little fellow. (就他這樣一個小伙子而論，他工作做得不錯。)

⑿ 作「**關於；至於**」解，相當於 “with regard to”，此 for 是由 as for 演變而來。

For myself I have nothing to complain about. (關於我自己，我並沒有什麼可抱怨的。)

For my part I know nothing about it. (至於我，我對它一無所知。)

⒀ 作「**支持；贊成**」解，相當於 “in favor of”，為 against 的相反詞。

I am ***for*** war, but he is against war. (我主戰，他反戰。)

We are ***for*** the new policy. (我們贊成新政策。)

⒁ 作「**(不)適合;有益(害)於**」解,可用於表肯定或否定。

These books are ***for*** children. (這些書適合兒童。)

Smoking is bad ***for*** your throat. (吸煙對你的喉嚨不好。)

⒂ 表示「**愛好;尊敬**」。

He has an unconquerable love ***for*** drink. (他有不可克服的酒癮。)

I have a sincere regard ***for*** him. (我非常尊敬他。)

【**註**】 許多表示喜歡的成語均包含 for:

have a fondness ***for*** (喜歡)
= have preference ***for*** = have a liking ***for*** = have a taste ***for***
= have a fancy ***for*** = go in ***for*** = care ***for***

⒃ 表示「**才能**」。

He has an eye ***for*** beauty. (他有審美的眼光。)

I have no ear ***for*** music. (我對音樂是外行。)

⒄ 表示「**對比**」,相當於 "in contrast with"

He has one enemy ***for*** a hundred friends. (他的敵人與朋友的比例是一比一百。)

⒅ 表示「**達到…的數量或程度**」,相當於 "to the amount *or* extent of"

Put my name down ***for*** five hundred dollars. (請寫上我捐五百元。)

He drew on his account ***for*** four thousand dollars. (他在他的戶頭提款四千元。)

⒆ 「for +(代)名詞」**造成不定詞意義上的主詞**。(參照 p.410)

主　詞

For an old man to run fast is dangerous. (要一個老人快跑是危險的。)
= It is dangerous ***for*** an old man to run fast.

It isn't convenient ***for*** him to visit us next week.
(要他下星期來訪問我們對他不便。)

Our plan was ***for*** one of us to travel by train with all the bags.
(我們的計劃是讓我們其中的一個人帶著所有的行李搭火車。)

It's plain ***for*** all to see. (它顯而易見。)
= It's plain so that all may see it.

There's no need ***for*** us to argue about this. (我們不需要爲這件事爭論。)

I can't bear ***for*** her to be angry with me. (我不能忍受她對我生氣。)

There's nothing worse than ***for*** a person to ill-treat a child.
(沒有比一個人虐待小孩更惡劣的事了。)

The town was hung with flags, as if ***for*** the people to welcome a great visitor.
(城裡掛滿了旗子,好像是人們要歡迎一位貴賓。)

25. from

⑴ 表示「**時間的起點**」，如：

from a child (childhood, boy, boyhood) 自孩提時代
from (the) beginning to (till) (the) end 從開始到結束
from childhood upward 從小
from dawn to (till) dark 從天亮到天黑
from day to day 日復一日
from morning to (till) night 從早到晚
from now on 從現在起；今後
from six to (till) seven 從六點到七點
from start to finish 自始至終
from that time forward 自那時起
from then on 從那時起
from this day forward 自今日起
from time to time 時常

He works ***from*** dawn to (till) dark.
（他從天亮工作到天黑。）

I shall write my exercise in English grammar ***from*** tomorrow.
（我將從明天開始做我的英文文法練習。）

【註】 **from 用於表示時間起點時，不可與 begin, commence, start 等表示「開始」的動詞連用**。但用於表示地方的起點時，from 可與 start 連用。

Work *begins from* seven o'clock.【誤】
Work ***begins at*** seven o'clock.【正】
（七點開始工作。）

The new school year *commences from* September.【誤】
The new school year ***commences in*** September.【正】
（新學年在九月開始。）

I will start ***from*** Taipei.【from 表地方的起點】
（我要從台北出發。）

⑵ 表示「**地方的起點**」，如：

from cover to cover 從封面到封底；整本書
from door to door 挨家挨戶
from end to end 從這頭到那頭
from hand to hand 由手轉手；手手相傳
from hand to mouth 從手到嘴；僅能糊口
from head to foot 由頭到腳；全身
from place to place 處處
from side to side 從這邊到那邊

The jet plane started ***from*** Taipei.（噴射機從台北起飛。）

We take the plane ***from*** here to Japan.
（我們從這裡搭機到日本。）

He is armed ***from*** head to foot.（他從頭到腳全副武裝。）

She traveled ***from*** New York to Rome.
（她從紐約旅行至羅馬。）

【註】 from…to…可用於表時間、地方，而 from…till…只能用於表時間，不可用於表地方。
比較下列句子：

This foreigner lived in Taiwan ***from*** 2005 ***to*** 2009.【正】
This foreigner lived in Taiwan ***from*** 2005 ***till*** 2009.【正】 【兩者皆可表時間】
（這個外國人自 2005 年到 2009 年住在台灣。）

My mother works very hard ***from*** morning ***to*** night.【正】
My mother works very hard ***from*** morning ***till*** night.【正】 【兩者皆可表時間】
（我母親從早到晚很努力地工作。）

It takes about half an hour ***from*** Keelung ***to*** Taipei by train.【正】
（從基隆搭火車到台北約需半小時。）【from…to…可表地方】
It takes about half an hour *from* Keelung *till* Taipei by train.【誤】
【from…till…不可表地方】

(3) 表示「**來源；出處**」。

Where are you ***from***?（你的出身是哪裡？— 你府上哪裡？）
= Where do you ***come from***?
We get these goods ***from*** foreign countries.（我們從國外買了這些商品。）
I borrow money ***from*** him.（我向他借錢。）

Thousands of English words { are derived ***from*** / derive ***from*** } Latin.
（英文有好幾千個字是源自拉丁文。）

Something has resulted ***from*** my efforts.（我的努力已經有些成果。）
The materials have been gathered ***from*** various sources.
（這些材料已從多方面收集起來。）

【註】 **come from 有兩種意義：**
① 表示「**籍貫；出生於**」，爲永恆的事實，故用現在式。
② 表示「**來自何處**」，爲敘述過去的事情，故須用過去式。
比較下列句子：
"Where do you ***come from***?"（= Where are you from?）
（你籍貫何處？）
"I ***come from*** Taipei."（= I am from Taipei.）
（我的籍貫是台北；我是台北出生的。）
"Where ***did*** you ***come from***?"（你來自何處？）
"I ***came from*** Taipei."（我從台北來。— 不一定是台北人。）

(4) 表示「**變化的起點**」。

From office boy he became manager.（他從工友出身成爲經理。）
His behavior is going ***from*** bad to worse.（他的行爲愈來愈壞。）

⑸ 表示原料，作「**由…所製；由…所造**」解，from 在此種用法中表示原料製成成品後形狀及性質已改變，常和 make 連用。

Brandy ***is made from*** grapes.【形狀及性質已變】
（白蘭地是由葡萄釀成的。）

Beer ***is made from*** barley.【形狀及性質已變】
（啤酒是大麥釀成的。）

【**註 1**】 當原料製成成品後性質仍未變時，須用 ***of***，不可用 *from*。

Bottles ***are made of*** glass.【性質未變】
（瓶子是用玻璃製成的。）

【**註 2**】 from 及 of 用在表示「成品由…所製成」時，若要表示「**某種原料製成某種成品**」時，介系詞須用 into。

Flour ***is made into*** bread.（麵粉做成麵包。）

⑹ 表示原因或動機，作「**因爲；由於**」解。

He is weak ***from*** illness.（他因疾病而體弱。）
He died ***from*** a blow.（他是被打傷致死的。）
I did so ***from*** a sense of duty.（我由於責任感而如此做。）

⑺ 表示「**區別**」，常與 differ（不同），discriminate（辨別；區別），distinguish（辨別；區別），know（辨識），tell（辨別），vary（不同）等動詞以及 different（不同的），distinct（分開的；不同的）等形容詞連用。

It *differs* ***from*** all the others.（它與其他的不同。）

You should *discriminate* good ***from*** bad.（你應辨別好壞。）

How would you *know* an Englishman ***from*** an American?
（你怎樣分別英國人和美國人呢？）

Can you *tell* a dog ***from*** a wolf?（你能分辨狗和狼嗎？）

This book is quite *different* ***from*** nearly all the others.（這本書幾乎異於所有其他的書。）

⑻ 表示「**分離、離開、消失、不在、缺席**」，常與此類意義的動詞如 part, apart, disappear, absent 連用。

They *parted* ***from*** each other at the station.（他們倆在車站分手。）
They dwelt *apart* ***from*** other people.（他們離群索居。）
It will soon *disappear* ***from*** sight.（它很快就會不見了。）
He is often *absent* ***from*** school.（他常常缺課。）

⑼ 引申爲表示「**停止；中止**」之意，常與此類意義的動詞如 cease, desist（停止）, rest 等連用。

He *ceased* ***from*** anger.（他已息怒。）
They *rest* ***from*** labor on Sunday.（他們星期日停止工作。）

(10) 引申爲表示「**禁止；使…不能**」之意，常與此類意義的動詞如 prohibit（禁止），refrain（克制），keep（阻止），prevent（阻止），hinder（阻礙），inhibit（阻止），stop（阻止），deter（阻止）等連用。（參照 p.280）

She was *prohibited* ***from*** leaving.（她不准離開。）

What *kept* you ***from*** joining me?（什麼事情使你不能和我會合？）

Nothing can *hinder* me ***from*** doing my duty.（沒有事情能夠阻礙我履行我的責任。）

His poor health *prevented* him ***from*** catching up with the other people.
（他的健康差，使他不能趕上別人。）

(11) 引申爲表示「**解除；釋放；拯救；保護**」之意，常與此類意義的動詞如 absolve（解除），free, save, release, rescue, deliver, protect, shelter, guard, defend 等連用。

The court *absolved* him ***from*** all responsibility for her death.
（法院免除了他對她的死亡應負的一切責任。）

Three years later the man was *released* ***from*** prison.（三年以後，那人被釋放出獄。）

May God *deliver* us ***from*** all evil.（願上帝救我們脫離一切邪惡。）

The cave *sheltered* us ***from*** the rain.（洞穴保護我們免受雨淋。）

(12) 引申爲表示「**隱蔽；隱瞞**」之意，常與此類意義的動詞如 conceal（隱匿），hide（隱藏），keep（不讓人知），screen（遮蔽）…等連用。

He tries to *conceal* his poverty ***from*** his friends.（他設法不讓他的朋友知道他的窮困。）

The house was *hidden* ***from*** view by the trees.（房子被樹遮住看不見。）

I *keep* the matter ***from*** everybody.（這件事我對人人皆保密。）

The trees *screen* our house ***from*** public view.（樹木遮蔽了我們的房子，使大家看不見。）

(13) 表示距離、間隔，作「**離…；距…**」解。

They live remote ***from*** cities.（他們住在遠離城市的地方。）

We are still far ***from*** our object.（我們仍然離我們的目標很遠。）

(14) 作「**從…推斷**」解，相當於 "judging by"

From his appearance, you wouldn't think he was old.
（從他的外表來推斷，你不會認爲他老。）

From a practical point of view, it's stupid.（從現實的觀點來判斷，那是愚蠢的。）

(15) ***from*** **後面常接一介詞片語爲其受詞**，所以在 from 後的介詞片語是當名詞片語用。

Choose a pen ***from*** among these.（在這些鋼筆中挑選一枝吧。）

She looked at me ***from*** above her spectacles.（她從眼鏡上面看我。）

The man stepped out ***from*** behind the tree.（那人從樹後面走出來。）

He came ***from*** beyond the seas yesterday.（他昨天從海外來。）

She took a ring (***from***) off her finger.（她從手指上脫下一個戒指。）

I took it ***from*** { behind the door.（我從門後拿的。）
in the drawer.（我從抽屜裡拿的。）
under the bed.（我從床底下拿的。） }

26. in

⑴ 表示時間，作「**在…的時候或時期**」解，in 在此種用法中可表示一段時間，如：

① **世紀、時代、朝代**

Men and women are equal ***in*** modern times.（男女在現代是平等的。）
Paper was invented ***in*** the Han dynasty.（紙是在漢朝發明的。）

【**類例**】

in the twentieth (20th) century 在二十世紀
in the Middle Ages 在中古時代　　***in*** the atomic age 在原子時代

② **年份**

The war broke out ***in*** 1941.（戰爭在一九四一年爆發。）

【**類例**】

in 2010 在二〇一〇年
in the 1930s 在一九三〇年代，即一九三〇～一九三九

③ **月份**

She was born ***in*** March.（她是三月出生的。）

【**類例**】

in January (February, March…) 在一月（二月，三月…）

④ **季節**

The temperature is mild ***in*** spring.（春季氣溫宜人。）

【**類例**】

in (*the*) summer (autumn, winter) 在夏季（秋季，冬季）
in the baseball season 在棒球季
in the rainy season 在雨季
in all seasons 在各個季節

⑤ **人生的一段時期**

He is still ***in*** his teens.（他還是十幾歲。）
She was a famous beauty ***in*** her day.（她年輕時是一個出名的美人。）

【**類例**】

in all one's life 在某人一生中　　***in*** one's old age 在某人的晚年
in one's (life) time 在某人的一生中　　***in*** one's school days 在某人的學生時代
in one's thirties 在某人三十幾歲時（30～39）
in one's youth 在某人年輕時　　***in*** the flower of youth 在青春時期
in the flush of youth 在青春時期　　***in*** the prime of life 在壯年時期
in the spring of life 在青春期

⑥ **白天、晚上、上午、下午、片刻…等**

I will be ready ***in*** a moment.（我馬上就準備好了。）
I go to school ***in*** the morning.（我早上到學校去。）
Don't sleep ***in*** the daytime.（白天不要睡覺。）

【類例】

in the day　在白天；在白晝；在日間
in the afternoon (evening, night)　在下午（傍晚，晚上）

⑦ **其他表示一段時間、時期的情形：**

The boy may be an Edison ***in*** future.（這孩子將來可能成爲發明家。）
= *The boy may be a* (*the*) *future Edison.*

【類例】

in a good hour　在幸運的時刻
in one's absence　在某人不在的時候
in the beginning　起初；最初
in the day gone by　在過去
in the end　最後；終於
in the hour of victory　在勝利的時刻
in the meantime　同時；在此期間
in the past　在過去
in these (those) days　最近（當時）

⑵ 表示「**再過…時間；在…時間內**」解。（參照 p.614）

The train will arrive ***in*** an hour.（再過一小時，火車將到達。）
The blossoms will be out ***in*** a few days.（過幾天花就要開了。）

⑶ 表示位置、場所，有「**在…中；在…內**」的含意，強調內部的觀念。

The boy is ***in*** the room.（男孩在房間裡。）
Is there any water ***in*** the bottle?（瓶中有沒有水？）
The children are playing ***in*** the park.（小孩子正在公園裡玩。）

【註 1】 in the street 主要用於英國，on the street 主要用於美國。

{ I met him ***in the street***.【英國用法】
{ I met him ***on the street***.【美國用法】
（我在街上遇見他。）

【註 2】 in 和 among 之比較：
in 表示某人（物）在另一較大的整體之中，故 in 之後接單數或有多數涵義的單數形式的受詞，among 表示在多數且相同的事物中，後面接複數的受詞。

They concealed themselves ***among*** the trees.【許多樹爲複數】
（他們躲在許多樹的中間。）
They concealed themselves ***in*** the forest.【森林爲整體的多數】
（他們躲在森林裡。）

⑷ 表示位置，作「**進入…之內；進入…之中**」解，相當於 “into”

He fell ***in*** the brook.（他掉入溪裡了。）
He dipped his pen ***in*** the ink.（他將他的筆尖浸入墨水中。）

⑸ 表示方向，作「**朝…方向；在…方向**」解。

In which direction did he go?（他朝哪個方向去了？）
An island is seen ***in*** the north.（向北可看見一個島嶼。）
When the police arrived, the crowd scattered ***in*** all directions.
（當警察來時，群衆向四面八方散去。）

⑹ 表示包含，含有「**在…中；在…內**」的意思。

There are 7 days ***in*** a week.（一星期有七天。）
I will place the matter ***in*** your hands.（我會把這件事交給你處理。）
I have done everything ***in*** my power.（我已盡我的能力去做了。）

⑺ 表示「**比率**」。

Not one ***in*** ten of the boys could spell well.
（這些男孩之中拼字正確的不到十分之一。）
Not one ***in*** five of the questions can I answer.
（這些問題之中，我會作答的不到五分之一。）

⑻ 表示程度、數量，含有「**達到…的程度；達到…的數量**」的意思。

The enemy appeared ***in*** great strength.（敵人顯得兵力強大。）
Fish are caught ***in*** great quantity.（捕到大量的魚。）

⑼ 含有「**關於；在…方面；在…部位**」的意思。

I had absolute authority ***in*** the matter.（我對於那件事有絕對的權力。）
This book is high ***in*** price.（這本書價錢很高。）
He was shot ***in*** the chest.（他被射中胸部。）

⑽ 表示形式、形狀、排列，含有「**依…的形式；依…的方式**」的意思。

The students have to stand here ***in*** a line.（學生們必須站在這裡排成一列。）
The soldiers sat ***in*** a circle.（士兵們圍成圓圈坐著。）
Will you have the money ***in*** gold or paper?（我用金幣或紙幣給你錢呢？）

⑾ 表示「**情況；狀態**」。

He went home ***in*** low spirits.（他垂頭喪氣地回家。）
The fruit is ***in*** good condition.（這水果完好無恙。）
We should keep our body ***in*** good health.（我們應該保持身體健康。）
You must go ***in*** haste.（你必須趕快去。）

He is not used to speaking ***in*** public.（他不習慣當衆演講。）
The rice was then ***in*** flower.（稻子那時正在開花。）
Keep the windows open ***in*** good weather.（在晴天把窗戶打開。）
They marched miles ***in*** the blazing sun.（他們在烈日下行進了許多哩路。）

⑿ 表示**材料**或**語言、聲音**，作「**用…**」解。

He has a statue ***in*** marble.（他有一個大理石的雕像。）
Write ***in*** black ink.（用黑墨水寫。）
Can you answer it ***in*** English?（你能用英文回答嗎？）
He always talks ***in*** a quiet voice.（他總是小聲地說話。）
Don't talk to me ***in*** such a loud voice.（不要用這麼大的聲音跟我說話。）

⒀ 表示「**穿著；包裝**」等。

The lady was dressed ***in*** white.（這位女士穿著白色的衣服。）
The maid is ***in*** slippers.（女佣穿著拖鞋。）
There comes a girl ***in*** spectacles.（來了一位戴眼鏡的女孩。）
My package was ***in*** brown paper.（我的包裹用褐色紙包著。）

⒁ 表示「**職業；活動**」。

He is ***in*** business.（他從商。）
He is ***in*** building.（他從事建築。）
I am engaged ***in*** writing a book.（我正在寫一本書。）
How much time do you spend ***in*** reading?（你花多少時間閱讀？）

⒂ 表示「**同一人或物**」的同格關係，作「**叫作…的；稱爲；即是**」解，相當於 "in the person of"

We have a warm supporter ***in*** John.（我們有一位叫約翰的熱心支持者。）
I found a good friend ***in*** Mr. Lin.〔我發現一個好朋友（即是）林先生。〕

⒃ 表示「**性質；能力**」。

There is some good ***in*** him.（他有一些可取的地方。）
I didn't think he had it ***in*** him.（沒想到他會那一套。）

⒄ 表示目的，作「**爲了…**」解，in 在此種用法中，常造成「in + 名詞 + 介詞」的形式的片語。

He wrote to the principal ***in behalf of*** his daughter.
（他爲了他女兒而寫信給校長。）
I am ***in favour of*** women's suffrage.（我贊成婦女參政。）
He comes to the city ***in quest of*** work.（他爲了找工作而來這城市。）

【類例】

in explanation of 爲解釋…	***in*** pursuit of 爲追求…
in honor of 爲了對…表達敬意	***in*** return for 作爲…的報酬
in hopes of 希望著…；期待著…	***in*** revenge of (*or* for) 以爲…的報復；爲報復…而…
in justice to 爲對…公平起見	***in*** reward for 作爲…的報酬
in memory of 爲紀念…而	***in*** search (quest) of 爲尋找…
in praise of 爲稱讚…	***in*** want of 需要…

27. **inside**

作「**在…之內**」解，相當於 "on the inner side of"

Don't let the dog come ***inside*** the house. (別讓狗到房子裡來。)
She was standing just ***inside*** the gate. (她恰好站在大門裡面。)
There are many buildings ***inside*** the city. (城市裡有許多建築物。)
Is your home ***inside*** the city? (你的家在城裡嗎？)

28. **into**

⑴ 表示動作的方向，作「**進入…之內；向內**」解，相當於 "to the inside of"

They broke ***into*** his store. (他們闖入他的店裡。)
I saw a man go ***into*** your room. (我看見一個人走進你的房間。)

⑵ 含有「**成爲…之狀況、成品**」的意思。

When did miniskirts come ***into*** fashion? (迷你裙何時流行起來？)
Man is liable to fall ***into*** error. (人容易犯錯。)
The baker makes flour ***into*** bread. (麵包師父把麵粉做成麵包。)
No one can turn stone ***into*** gold. (沒有人能把石頭變成金子。)
She finally talked her father ***into*** buying a new car.
(她最後說服她父親買了一輛新車。)

⑶ 表示時間，有「**直到…的時候**」的意思，常用在 far, late, quite 之後。

I slept *far* ***into*** daylight. (我睡覺一直到日上三竿。)
We played bridge *late* ***into*** the night. (我們玩橋牌直到深夜。)
He lived *quite* ***into*** our own time. (他活到我們自己這個時代。)

⑷ 在數學用法中，作「**除**」解。

3 ***into*** 6 goes twice. (三除六等於二。)
2 ***into*** 20 equals 10. (二除二十等於十。)

29. **near**

⑴ 表示時間，作「**接近…；將近…**」解。

The sun was ***near*** setting as we reached home. (當我們到家時，太陽快要下山了。)
Now it is ***near*** ten o'clock. (現在將近十點鐘了。)

⑵ 表示位置、地點，作「**接近…；靠近…**」解。

Don't go ***near*** the edge.（不要走近邊緣。）

He came very ***near*** being knocked down by the bus.（他幾乎被公共汽車撞倒。）

= He was almost knocked down by the bus.

30. next

爲 next to 省略而來，表示「**在…的隔壁；與…鄰接**」。

May I bring my chair ***next*** yours?（我可以把我的椅子搬到你的旁邊嗎？）

He doesn't like wearing wool ***next*** his skin.（他不喜歡穿貼身的毛料衣服。）

31. of

⑴ 表示「**空間或時間的距離**」，通常以 "wide of" "short of" "within…of" 的形式出現。

The shot went *wide **of*** the mark.（這砲彈落在離目標很遠的距離。）

We are twenty miles *short **of*** (= distant from) Paris.（我們要抵達巴黎須再走二十哩。）

I stood *within* ten paces ***of*** the door.（我站在離門不出十步之地方。）

【**註**】在美語中常用 ***of*** (= *to*) 表示時刻的差距，作「**差…**」解。

It is ten minutes ***of*** six.（差十分鐘就六點。）

⑵ 表示「**位置或方向**」，通常接在 east, west, north, south, left, right, front, back 這類字之後。

His hometown is a few miles *north **of*** Taipei.（他的家鄉在離台北市幾英哩的北邊。）

There is a picture in the *front **of*** the book.（在書的前幾頁有一幅插畫。）

⑶ 表示由來，常作「**向…；從…**」解，常與 ask, beg, demand, inquire, require 等表請求的動詞連用。

He *asked* his way ***of*** a hunter.（他向獵人問路。）

He *begged* money ***of*** charitable people.（他向慈善人士討錢。）

He *demands* too high a price ***of*** me.（他向我要求太高的價錢。）

She *inquires* ***of*** him about her younger brother's conduct.
（她向他詢問關於她弟弟的行爲。）

I have done everything that was *required* ***of*** me.（一切要我做的事情我都已做好了。）

【**註1**】許多表「獲得、期望」的動詞，如：borrow, buy, expect, have, hire, learn, receive, want 等之後接 of 或 from 意義相同，但一般較常用 from。

I *borrowed* the grammar book { ***of*** / ***from*** } him.（我從他那裡借來這本文法書。）

Everyone *expected* great things { ***of*** / ***from*** } him.（大家希望他有大的貢獻。）

She *learned* her English { ***of*** / ***from*** } an American.
（她從一個美國人那裡學英文。）

【註 2】 inquire 的受詞爲「**某地方**」時，介詞用 ***at*** 而不用 *of*。

I'll *inquire* ***at*** the office and then tell you.（我在辦公室打聽一下再告訴你。）

(4) 表示「**出身；起源**」，常和 come, be born 連用。

They *come* ***of*** peasant stock.（他們出身於農家。）
She *was born* ***of*** good parents.（她出身良好的家庭。）

【註 1】 在 be derived, be descended, spring 等亦爲表出身、起源的動詞之後則常接 from。

Many English words *are derived* ***from*** Latin.
（許多英文字起源於拉丁文。）
He *is descended* (*sprung*) ***from*** noble blood.（他是貴族血統之後。）

【註 2】 come from 表示「籍貫或來自何處」(參閱 p.575)；come of 則表示「出身、源於」。

He ***comes from*** Taipei.（他出生於台北。）
He ***came from*** Japan.（他從日本來。）

He ***comes of*** a good family.（他出身於良好的家庭。）
He ***came of*** a poor peasant family.（他出身於貧窮農家。）

(5) 表示情緒上或生病、死亡的原因，of 常和表此種意義之形容詞或動詞連用，如：

afraid（害怕的），ashamed（慚愧的；感到羞恥的），fond（喜愛的），glad（高興的），impatient（不耐煩的），die（死），ill（生病的），proud（驕傲的；光榮的），sick（厭倦的），tired（厭倦的），weary（厭倦的）。

You need not be *ashamed* ***of*** your poverty.
（你不必以貧窮爲恥。）
She is *fond* ***of*** reading novels.（她喜歡讀小說。）
She is *impatient* ***of*** delay.（她不能忍受延遲。）
I'm *tired* ***of*** having the same kind of food every day.
（每天吃同樣的食物，我很厭倦。）
He was *ill* ***of*** a fever.（他生病發燒。）
He *died* ***of*** a heart attack.（他死於心臟病發。）

【註 1】 be tired with（因…而感到疲倦）

She ***is tired with*** teaching all day.（她因整天教書而疲倦。）

【註 2】 die 之後接 of 表「**因疾病而死**」；接 by 表「**死亡的手段或方式**」；接 from 表「**受外力之傷害而死**」。

He ***died of*** cancer.（他死於癌症。）【因疾病而死】
He ***died by*** his own hand.（他死於自殺。）【死亡的方式】
He ***died from*** a wound.（他傷重而死。）【受外力之傷害而死】

⑹ ***of*** 用在表示「**自願；自動**」之類的慣用語中。

He did it ***of his own accord***.（他做此事出於自願。）

She married the man ***of her own choice***.（她嫁給那男人，是出於自願。）

【**類例**】

of one's own free will　由於自己的意志

of oneself　自動地

of one's own knowledge　由於自己的知識

of one's own pleasure　由於自己的愛好

⑺ 作「**由…製成**」解，***of*** 在此種用法表示材料製成成品之後的性質不變。（參閱 p.576 of 與 from 的比較）

This house is built ***of*** stones.（這房子是用石頭建造的。）

The box is made ***of*** paper.（這盒子是用紙做的。）

My hat is made ***of*** straw.（我的帽子是用稻草做的。）

⑻ 用在表示「**組成**」的慣用語中。

Water *is composed* ***of*** oxygen and hydrogen.（水是由氧和氫組成的。）

Japan *is formed* ***of*** four large islands.（日本是由四個大島組成的。）

The advisory group *is made up* ***of*** three professors and an assistant.
（該顧問團是由三位教授與一位助理組成的。）

Man *consists* ***of*** soul and body.（人是由靈魂和身體組成的。）

⑼ 表示「**部分；份量**」，***of*** 前後爲部分關係。

He knows much ***of*** our business.（他知道許多關於我們的事。）

He bought a pair ***of*** shoes this morning.（今天早上他買了一雙鞋子。）

Take part ***of*** it, not the whole ***of*** it.（只拿一部分，不要全部都拿。）

⑽ ***of*** 表示「**分離**」（參照 p.279）
有下列幾種用法：

① 用在 ease, lighten, relieve 等表「**減輕；消除**」之類的動詞之後。

You should *ease* your father ***of*** his burden.（你應該減輕你父親的負擔。）

The ship was *lightened* ***of*** her load.（這艘船載重被減輕了。）

Let me *relieve* you ***of*** your bag.
（讓我減輕手提袋給你的負擔 —— 讓我幫你拿一下你的手提袋。）

② 用在表「**解除；免除；清除**」之類的動詞後面，如：absolve（赦免；免除），break（分離），clear（清除），cure（治療），divest（去除），expel（驅逐；開除），free（免除），rid（解除；免除），wash（清除）。

I cannot *break* myself ***of*** the habit.（我無法戒除這個習慣。）

The government will *clear* the sea ***of*** the pirates.（政府將肅清海盜。）

He doesn't think that it is easy to *rid* oneself ***of*** a bad habit.
（他認爲使一個人擺脫惡習不是一件容易的事。）

③ 用在 cure（治療），heal（醫治）等，表「**治療；治癒**」之意的動詞後面。

The doctor *cured* him ***of*** a disease.（醫生治好他的病。）
She *healed* me ***of*** my wound.（她醫好我的傷。）

④ 用於表示「**剝奪；奪去**」的動詞後面，如：bereave（奪去；剝奪），cheat（騙取），defraud（詐取），deprive（剝奪），despoil（剝奪），dispossess（剝奪），fleece（詐取），plunder（搶奪），rob（搶劫），spoil（搶劫；掠奪），strip（除去；剝奪）。

They *cheated* a man ***of*** his money.（他們騙了一個人的金錢。）
The nobles were *dispossessed* ***of*** their property after the revolution.
（貴族們的財產在革命之後被人奪走了。）
They *stripped* him ***of*** his clothes.（他們剝去了他的衣服。）

⑤ 用於表示「**喪失；失去**」之類的動詞或形容詞後面，如：disarm（解除），lose（失去），miss（失去），shear（剪除），devoid（沒有的；空的），empty（空的）。

Religion *disarms* death ***of*** its terrors.（宗教使人視死不畏。）
The gambler came home *shorn* ***of*** his money.（那賭徒回家，錢已輸光了。）
His speech was *devoid* ***of*** sense.（他的演說毫無意義。）

⑾ 表示「**關於；涉及**」，***of*** 在此種用法中常與下列動詞或形容詞連用。

① **動詞 + *of***

They *accused* him ***of*** theft.（他們控告他偷竊。）
His parents *approve* ***of*** his match.（他的父母贊成他的婚配。）
Have you recently *heard* ***of*** his behavior?（你最近聽說過他的行爲嗎？）
Do you *know* ***of*** such a person?（你知道有這樣一個人嗎？）
She *reminded* me ***of*** her mother.（她使我想起她的母親。）
He *spoke* ***of*** this book the other day.（他前幾天提到這本書。）

【**類例**】

admit 容許；允許
advise 通知
apprise 通知；報告
assure 向…保證
boast 自誇
brag 自誇
complain 抱怨
convict 定罪
convince 相信
despair 失望；絕望
disapprove 不贊成；不同意
dream 夢想
inform 通知
judge 審判；判斷
learn 得知；聽說
persuade 說服
repent 後悔
satisfy 使確信
suspect 懷疑
talk 談話
tell 告訴；講述
think 認爲；想念
treat 論述
warn 警告

【註 1】 上項中有些動詞可當及物動詞，後面直接接受詞，在意義上與接 ***of*** 時完全不一樣。比較下列句子：

I ***know of*** the candidate.（我聽說過這個候選人。）
I ***know*** the candidate.（我認識這個候選人。）

Do you ***speak*** English?（你說英語嗎？）
Of whom do you ***speak***?（你是在說誰？）

【註 2】 hear, tell 之後接 news, report, story 等字時，不須接 ***of***，但是接 man, event, matter 等字時須接 ***of***。

Have you ***heard*** the news?（你聽到這個消息了嗎？）
Have you ***heard of*** such a man?（你聽說過這樣的一個人嗎？）

② 形容詞 + *of*

He was not *aware* ***of*** what was going on around him.（他不知道周圍發生的事。）
He is *capable* ***of*** teaching English.（他有教英文的能力。）
We are *confident* ***of*** success.（我們有信心能成功。）
He was *mistrustful* ***of*** me.（他不信任我。）
I am not *sure* ***of*** his success, but I am sure that he will do his best.
（我不能確信他會成功，但我確信他會盡力而為。）
He is *unworthy* ***of*** help.（他是不值得幫助的。）

【類例】

ambitious 有抱負的	forgetful 健忘的	neglectful 忽視的
avaricious 貪心的	greedy 貪心的	negligent 疏忽的
careful 小心的	guiltless 無罪的	observant 注意的
careless 不小心的	guilty 有罪的	regardful 注意的；關心的
cautious 小心的	heedful 注意的	regardless 不注意的
certain 確定的	hopeful 有希望的	sensible 感覺到的
cognizant 知道的	ignorant 不知道的	suspicious 懷疑的
conscious 知道的；察覺到的	incapable 無能力的	thoughtful 關心的
covetous 貪圖的	innocent 無罪的	vain 自負的
deserving 值得的	insatiable 極貪心的	wary 小心的
distrustful 不信任的	mindful 注意的	worthy 值得的

【註 1】 表示「關於；涉及」的 ***of***，可將其後面的受詞改為 that 所引導的名詞子句，此時 *of* 須去掉。

I have heard ***of his arrival***.（我聽說他到了。）
= I have heard ***that he has arrived***.

I was informed ***of his death***.（我被通知說他死了。）
= I was informed ***that he was dead***.

【註 2】「be sure of + (動) 名詞」表示主詞對自己本身的確信。
「be sure to + 原形動詞」表示說話者或其他人對主詞的確信。

He ***is sure of*** success. (他確信他一定會成功。)
= He is sure that he will succeed.

He ***is sure to*** succeed. (我確信他一定會成功。)
= I am sure that he will succeed.

⑿ **用在「名詞 + of + 名詞」的形式中，有下列幾個用法：**

① **後面的「of + 名詞」表示「所有格」**，of 在此種用法通常指無生物的所有格，但人和動物的所有格亦可用 of 表示。如：

The capital ***of*** Japan is Tokyo. (日本的首都是東京。)
The length ***of*** the table is twice its breadth. (這桌子的長是寬的兩倍。)
The hat ***of*** the man is blue. (這男人的帽子是藍色的。)
The toys ***of*** the children are expensive. (孩子們的玩具是貴的。)

【類例】

the cover ***of*** a book 一本書的封面
the name ***of*** the street 街道的名稱
the leg ***of*** the desk 桌子的腳
the tail ***of*** the dog 這隻狗的尾巴
the legs ***of*** that horse 那匹馬的腳
the love ***of*** a mother = a mother's love 母愛

② **「of + 抽象名詞」當形容詞片語**，其中常可代換成置於名詞前的形容詞。

He is a man ***of courage***. (他是個有勇氣的人。)
= He is a *courageous* man.

This is a matter ***of great importance***. (這是一件非常重要的事。)
= This is a *very important* matter.

His wife is a lady ***of virtue***. (他的太太是一位品德高尚的女士。)
= His wife is a *virtuous* lady.

【類例】

a man ***of wisdom*** = a *wise* man 聰明的人
a girl ***of beauty*** = a *beautiful* girl 漂亮的女孩
a man ***of wealth*** = a *wealthy* (*rich*) man 有錢人
a woman ***of no importance*** = an *unimportant* woman 不重要的女人
a thing ***of no use*** = a *useless* thing 沒有用的東西
a boy ***of honesty*** = an *honest* boy 誠實的男孩
a musician ***of talent*** = a *talented* musician 有才能的音樂家
an animal ***of great strength*** = a *very strong* animal 很有氣力的動物
a man ***of great learning*** = a *very learned* man 很有學問的人

③ ***of*** 後面的名詞含有 of 之前的名詞的性質，**兩者為同格關係**（同位語）。（參照 p.97）

The city ***of*** London is the capital of England.（倫敦市是英國的首都。）
The Republic ***of*** China was founded in 1911.
（中華民國創立於一九一一年。）
He does not deserve the name ***of*** scholar.（他不配稱為學者。）
He is a lamb ***of*** a boy.（他是個羔羊般溫順的男孩。）
= He is a boy like a lamb.

【類例】

the continent ***of*** Asia 亞洲	the name ***of*** a scientist 科學家之名
the island ***of*** Ceylon 錫蘭島	the month ***of*** May 五月
the continent ***of*** Africa 非洲	the sum ***of*** ten dollars 十元
the city ***of*** Rome 羅馬市	a brute ***of*** a man 人面獸心的人
the province ***of*** Taiwan 台灣省	an angel ***of*** a woman 天使般的女人
the city ***of*** Taipei 台北市	a fool ***of*** a man 傻裡傻氣的人
the County ***of*** Durham 達拉謨郡（在英格蘭東北部）	

④ **表示受格之所有格**，即 of 後之名詞為 of 前之名詞動作意義上的受詞。

He is a maker ***of*** pots.（他是個製鍋匠。）
The writing ***of*** the letter took me three hours.
（寫那封信花了我三個小時。）
He devoted himself to the teaching ***of*** English.（他致力於教英文。）
= He devoted himself to teaching English.

【類例】

a maker ***of*** shoes = a shoemaker 製鞋者	the love ***of*** money 喜愛錢財
the discovery ***of*** America 發現美洲	the love ***of*** nature 愛好自然
the invention ***of*** the radio 發明收音機	

⒀ ***of*** 用在「名詞 + ***of*** + 所有格」的形式中，表示雙重所有格的關係。

That is another mistake ***of*** *yours*.（這是你的另一個錯誤。）
That is no business ***of*** *mine*.（那件事和我無關。）
Would you lend me that book ***of*** *yours*?（請你借給我那本書好嗎？）

【註 1】 a, an, another, any, every, no, several, some, such, that, these, this, those, what, which,⋯等修飾語，不可和所有格並用，必須使用雙重所有格的形式表示。

I like *this my sister's* book.【誤】
I like this book ***of*** my sister's.【正】
（我喜歡我姊姊的這本書。）

【註 2】比較下面詞語意義上的差異：

a portrait ***of*** his father's【指所有之中的一幅，of 在此表部分關係】
（他父親所擁有的畫像中的一幅）
a portrait ***of*** his father【指畫像上畫的是他父親，of 在此表同格關係】
（他父親的畫像）
his father's portraits
（他父親擁有的所有畫像）
（他父親所畫的畫像）

⒁ 用在 "of one's (own) ～ing" 的形式中，表示「**某人親手…的**」之意，此種形式可代換成「過去分詞 + by oneself」。

This mistake is ***of his own making***.（這個錯誤是他自己造成的。）
= This mistake is *made by himself*.
It is a profession ***of his own choosing***.（那是他自己選擇的職業。）
= It is a profession *chosen by himself*.

【註】of one's own; of oneself 表示「**自願；自動**」之意。（參照 p.585）

The light went out ***of itself***.（燈自己熄了。）

⒂ 用在「it is + 形容詞 + of +（代）名詞 + 不定詞」的句型中。（參照 p.410）

It is kind ***of*** you to come to help me.（你來幫助我實在是太好了。）
It was wise ***of*** him to start earlier.（他提早出發，眞是聰明。）
It was good ***of*** your brother to come.
（你的弟弟來了，眞是太好了。）
It was thoughtful ***of*** you to warn me of your arrival.
（你來之前先通知我，眞是體貼。）

⒃ 「***of*** + 時間名詞」常造成副詞性質的慣用語。

He plays golf ***of a Sunday***.（他經常在星期日打高爾夫球。）
= He plays golf *on Sundays*.
He died ***of an evening***.（他在傍晚時死了。）
= He died *in the evening*.
I've been rather ill ***of late***.（最近我的身體不好。）
= I've been rather ill *lately*.

32. **off**

⑴ 表示「**離開…；和…分離**」，相當於 "from; not on; away from"，爲 on 的相反詞。

He fell ***off*** the ladder.（他從梯子上跌下來。）
The ball rolled ***off*** the table.（球從桌上滾下來。）
The rain ran ***off*** the roof.（雨水從屋頂流下來。）

She never took her eyes ***off*** the sick child all the morning.
（整個早上她的眼睛都沒有離開這個生病的小孩。）
He appears to be a little ***off*** his rocker.（他好像有點神經錯亂。）

【比較】 He sat ***on*** a chair.【on 表示與面的接觸】
（他坐在椅子上。）
He fell ***off*** a chair.【off 表示與面的分離】
（他從椅子上掉下來。）

⑵ 表示「**離…有一段距離**」，含有 "a short distance from" 的意思。

There are numerous islands ***off*** the coast.（離海岸不遠處有許多的島嶼。）
The new house is a little way ***off*** the main road.
（新房子離大馬路有一小段距離。）

⑶ 表示「**價錢低於…**」。

They offered us the goods at 15% ***off*** the regular price.
（他們把商品以八五折賣給我們。）

33. on

⑴ 表示時間，有下列幾種情形：

① 表示**日期、星期或特定的早晚、上下午等**。如：

I was born ***on*** January 18, 1990.【表日期】
（我生於一九九〇年一月十八日。）
We have no school ***on*** Sunday.（我們星期天不上學。）【表星期】
The president addressed us ***on*** New Year's Eve.【表特定日的晚上】
（總統在除夕對我們講話。）

【類例】

on July 30th　在七月三十日
on Monday (Tuesday,…)　在星期一（二…）
on a cold night in January　在一月的某個寒冷的夜晚
on a fine morning　在一晴朗的早晨
on Christmas Eve　在聖誕夜
on New Year's Day　在元旦
on the eve of revolution　在革命的前夕
on the eve of the great war　在大戰前夕
on the eve of victory　在勝利的前夕
on the night of September 26th　在九月二十六日的晚上
on the evening of the 11th　在十一日的傍晚
on Sunday evening　在星期日傍晚

【註】 指一般非特定的早晚、上下午則用 ***in***，如 ***in*** the morning。（詳見 p.579）

② 表示「**在某事發生的時候**或**緊接著某事之後**」，常作「**一…就**」解，相當於 “at the time of”

On his mother’s death, he went to New York.（他母親一死，他就去紐約。）
= As soon as his mother died, he went to New York.
Jane got married immediately ***on*** her graduation.
（珍一畢業立刻就結婚。）
I will show you the book ***on*** my return.（在我回來的時候，我會讓你看那本書。）
They greeted us ***on*** our arrival.（在我們到達時，他們歡迎我們。）

③ 與 occasion, opportunity 連用，表示「某一特殊的場合或時機」，如：

He told me that the hall is used only ***on*** *public occasions*.
（他告訴我大廳只用於公開聚會時。）
I will speak to him ***on*** *the first opportunity*.（一有機會我就會告訴他。）
I send you my best wishes ***on*** *this happy occasion*.（值此佳期我向你致賀。）

【類例】

on all (many, most) occasions 在一切（許多，大多數）場合
on an occasion of emergency 在緊急的時候
on another occasion 在另一個場合
on occasion 有時
on one occasion 曾經
on ordinary (special) occasions 在一般的（特殊的）場合
on the first occasion 一有機會
on the occasion of one’s graduation 在某人畢業的時候
on the present (last) occasion 在這（上）一次的場合
on this (that) occasion 在此（那）場合

⑵ 表示地方或位置，作「**在…上面**」解，指與某物表面相接觸時，可表上面、側面或下面的表面三種情形。

There are five books ***on*** the desk.【指上面的表面】
（書桌上有五本書。）
There is a map hanging ***on*** the wall.【指側面的表面】
（有一幅地圖掛在牆上。）
There are many flies ***on*** the ceiling.【指下面的表面】
（天花板上有許多蒼蠅。）

【註】 表示「**在…洲**」時，則用 ***in***；表示「**在田野裡**」也要用 ***in*** (*the field*)。

When traveling ***in Europe*** he met my uncle.
（當他在歐洲旅行時，遇到我叔叔。）
He works ***in the field*** on Sunday.（他星期日在田裡工作。）

⑶ 表示與線的接觸，作「**在…邊；沿…旁**」解。

The hotel is ***on*** the lake.（旅館在湖邊。）
London is ***on*** the Thames.（倫敦位於泰晤士河畔。）

⑷ 表示「**方向；朝向；對…**」之意。

The Pacific Ocean is ***on*** the east side of Taiwan.（太平洋位於台灣的東邊。）
The window looks ***on*** the street.（窗戶面向街道。）
A horde of savages fell ***on*** them and killed them all.
（一群野蠻人對他們攻擊，並把他們全部殺光。）
A high tax is imposed ***on*** foreign cars.（外國的車會被課重稅。）
They bestowed praises ***on*** him.（他們稱讚他。）

⑸ 作「**關於；論及**」解，相當於 "about; concerning"

He has written a lot of books ***on*** the history of China.
（他寫了很多有關中國歷史的書。）
He commented ***on*** current events.（他評論時事。）
They debated bitterly ***on*** a certain question.（他們對於某個問題辯論得很激烈。）
He sat there meditating ***on*** (***upon***) his misfortunes.（他坐在那裡沉思他不幸的遭遇。）

⑹ 表示「**為…之一份子**」，相當於 "as a member of"

Who is ***on*** the committee?（誰是這個委員會的委員？）
He is ***on*** the jury.（他是陪審團中的一員。）

⑺ 作「**由於…的理由；因為**」解，許多表示原因的成語，都含有 ***on***，如：
on the ground(s) of（因為），***on*** account of（因為），***on*** the score of（因為）。

The principal resigned ***on** the ground*(*s*) *of* his failing health.
（校長因健康不佳而辭職。）
***On** account of* the bad weather, I came here too late.（由於天氣不好，我來得太晚了。）
She was excused ***on** the score of* illness.（她因病中途離席。）
I engaged him ***on*** your recommendation.（我因為你的推薦而雇用他。）

⑻ 含有「**支撐；依靠；賴…以為生；信賴**」之意。此種用法中，on 和 upon 可通用。

The roof is firmly supported ***on*** posts.（這屋頂很穩固地支撐於柱子上。）
Man goes ***on*** two legs, brutes ***on*** four.（人類以兩腳行走，獸以四足。）
That depends ***on*** circumstances.（那要視情形而定。）
All real knowledge rests ***on*** experience.（所有真實的知識都以經驗為基礎。）
Cows feed ***on*** grass.（牛吃草為生。）
The Chinese live ***on*** rice.（中國人以米為主食。）
The bank lends money ***on*** good security.（銀行以可靠的擔保來貸款。）
You can count ***on*** him because he is a very reliable person.
（你可以信任他，因為他是個非常可靠的人。）

【註】許多表示「依賴」的成語都含有 on。

depend ***on*** 依賴；指望

= bank ***on*** = build ***on*** = count ***on*** = fall back ***on*** = figure ***on***

= lean ***on*** = plan ***on*** = reckon ***on*** = rely ***on*** = repose ***on*** = rest ***on***

= trust ***on*** = sponge ***on*** = set the heart ***on***

(9) 表示「**在…的狀態或情況中**」之意。如：

The building is ***on*** *fire*.（那棟建築物著火了。）

We cannot find John because he is ***on*** *leave* now.

（我們找不到約翰，因爲他正在休假中。）

New cars of various types are ***on*** *show*.（許多種新車正在展覽中。）

The population is ***on*** *the decrease*.（人口正在減少中。）

The doctor says that he is definitely ***on*** *the mend*.

（醫生說他的確在康復之中。）

Many people came to see the murderer ***on*** *trial*.

（許多人來看兇手受審。）

【**類例**】

on display 展示中	***on*** the advance (*or* rise) （物價）在上漲中
on duty 上班；當班；值班	***on*** the alert 警戒中
on edge 處於憂慮中；緊張	***on*** the carpet 在討論中
on guard 警戒中	***on*** the ebb 在退潮中
on half pay 支半薪中	***on*** the fall (*or* decline) 在下跌中
on hand 出席；現有	***on*** the increase 在增加中
on hire 在出租中	***on*** the job 工作著；忙著
on holiday (vacation) 在渡假	***on*** the look-out 在警戒中
on one's legs 忙碌中	***on*** the march 在行進中
on one's mind 在沉思	***on*** the market 出售中
on one's nerves 在發狂中	***on*** the road 在途中
on one's way 在…途中	***on*** the wane 衰退中
on parade 行進中	***on*** the watch 在戒備中
on pins and needles 坐立不安	***on*** the way 在途中；旅行中
on sale 拍賣中	***on*** the wing 在飛行；在飛翔中
on strike 罷工中	***on*** view 展覽中

(10) 表示「**條件**」。

You may attend the meeting ***on*** this understanding.

（在此條件下，你可以參加會議。）

He was appointed ***on*** these terms.（他在這些條件下被任命。）

【類例】

on condition that　以…爲條件；如果…
on such terms　在這樣的條件下
on one condition　只有在一種條件下
on the understanding that　以…爲條件；如果…
on that understanding (condition)　在那條件之下

⑾ 表示**目的**，含有「**從事於**」的意思，後面常接 business, errand, journey, trip 之類的字。

He travels ***on*** business.（他因公旅行。）
He was sent ***on*** an errand.（他被派去辦事。）

【類例】

on a fool's errand　徒勞無功的事
on a mission　傳教
on a hike (picnic, outing)　健行；野餐；郊遊
on a pilgrimage　朝聖
on a journey (tour, trip)　旅行
on an excursion　遠足

⑿ 表示「**影響；作用**」。

Acids *act* ***on*** metals.（酸類對於金屬會起作用。）
The medicine { *works* / *acts* } ***on*** the affected part.（這藥對患部有效。）
The climate *has no effect* ***on*** my health.（氣候不會影響我的健康。）
This book *has great effect* ***on*** young people.（這本書對年輕人有很大的影響。）
The accident *has no influence* ***on*** my task.（這場意外不影響我的工作。）

⒀ 表示「**奏樂；樂器**」，常用在 play（演奏），perform（演奏）之後。

She plays well ***on*** the piano.（她鋼琴彈得很好。）
He performed skillfully ***on*** the flute.（他精於吹笛。）

⒁ 表示「**加添；累積**」之意，通常放在兩個相同名詞之間，相當於 "added to"

Defeat ***on*** *defeat* discouraged them.（一次又一次的失敗使他們氣餒。）
They suffered *disaster* ***on*** *disaster*.（他們遭受一次又一次的災難。）
He incurred *loss* ***on*** *loss* during recent years.（他近幾年接連地遭受損失。）

34. **out of** —— 爲一複合介詞，與 in, into 相反。

⑴ 含有「**在…的外面；超出…的範圍**」之意。

She sleeps ***out of*** the room.（她睡在房間外。）
No animal can live ***out of*** its element.（任何動物若不在其適宜環境中，則不能生存。）

⑵ 表示**動作**，含有「**由內向外**」之意。

The students walked ***out of*** the classroom.（學生們走出教室。）
He ran ***out of*** the house.（他跑出房子。）
Two bears came ***out of*** the forest.（兩隻熊從森林裡出來。）

⑶ 表示動機、原因，作「**由於；因爲**」解。

All this was done ***out of*** envy.（這一切都是由於嫉妒所造成。）
He helped her ***out of*** pity.（他由於憐憫而幫助她。）
She did it ***out of*** charity.（她做此事是出於仁慈。）

⑷ 表示「**（若干或許多）的一部分**」，相當於 "from among"

You may choose any two ***out of*** the number.
（你可以從這些當中任選兩個。）
In nine cases ***out of*** ten, students are idle.
（學生中十人有九人是懶惰的。）
Six men ***out of*** ten were ill at that time.（當時十人中有六人生病。）

⑸ 表示「**材料**」，常與 make 連用，表示材料製成成品後性質未變。一般情形多用 make of，但爲加強語氣時，常把 make 與介詞分開，而用 make…out of 的形式。

We can *make* many things ***out of*** wood.（我們能用木材製成很多東西。）
These handicrafts *are made* ***out of*** bamboo.（這些手工藝品是由竹子作成。）

【註】用於表示「**造就成…；當成是…**」時，要用 of，此時雖然 make 與介詞分開，仍用 of 而不用 out of。

I will make a teacher ***of*** you.（我會造就你成爲教師。）

⑹ 表示「**起源；來源**」，相當於 "from"

The farmer smiled at the crops growing ***out of*** the earth.
（農夫對著從土裡長出來的農作物微笑。）
He got money ***out of*** his father.（他從他父親那裡得到錢。）

⑺ 表示「**否定的結果**」，與表結果的 into 意義相反。

We reasoned him ***out of*** his fears.（我們勸導他不要害怕。）

【比較】He tried to *talk* me ***into*** going abroad.（他想說服我出國。）
He tried to *talk* me ***out of*** going abroad.（他想勸我不要出國。）

⑻ 表示「**自**（某種狀態、形式）**脫離、離開**」。

He is ***out of*** *breath*.（他上氣不接下氣。）
The patient is ***out of*** *danger*.（病人已脫離險境。）
I believe that we are ***out of*** *gas*.（我相信我們沒有汽油了。）
The naughty boys are quite ***out of*** *hand*.（這些頑皮的小男孩太難管了。）
Our refrigerator is ***out of*** *order*.（我們的冰箱壞了。）
His remark is ***out of*** *place*.（他的措辭不當。）
Reconciliation is ***out of*** *the question*.（和解是不可能的。）
He is kind enough to help me ***out of*** *trouble*.（他很仁慈，幫我脫離困境。）

【類例】

out of a job 失業	*out of* patience 不耐煩	*out of* step 步調不一致
out of date 過時的	*out of* pocket 損失；虧損	*out of* stock 缺貨
out of employment 失業	*out of* print 絕版	*out of* temper 發怒
out of fashion 不流行	*out of* season 不合季節	*out of* the ordinary 不平凡
out of hearing 聽不到	*out of* sight 看不見	*out of* tune （指樂器）不合調
out of one's mind 發瘋	*out of* sorts 沒力量；不舒服	
out of work 失業	*out of* character 不適當；不相稱	

out of (all) proportion 支出與收入不相符；不相稱

out of commission 退役的；不能用的	*out of* shape 變形；健康情形不佳
out of one's element 發瘋；不得意	*out of* the question 不可能的
out of pocket money 零用錢用盡	*out of* the woods 不再有危險的；不再有困難的
out of practice 缺乏練習；缺乏技巧	*out of* wedlock 未結婚的

35. over

⑴ 表示「**接觸在某物的上方**」，over 在此種用法不可用 above 代換。

He spread a cloth ***over*** the grass.（他在草地上舖一塊布。）
He pulled the blanket ***over*** him.（他把毯子拉過來蓋在身上。）

⑵ 表示「**在…的上方**」，但未與該物體接觸，此用法中的 over 常可與 above 通用。

Attendants held a large umbrella { ***over*** / ***above*** } the chief's head.
（服務人員把一支大傘撐在首領的頭上。）

The sky is { ***over*** / ***above*** } our heads.（天空在我們的頭上。）

⑶ 表示「**越過；橫過**」。

The horse jumped ***over*** the fence.（馬跳過柵欄。）
There is a bridge ***over*** the river.（有一座橋橫過這條河。）
The airplane is flying just ***over*** the city.
（飛機正飛過城市的上空。）

⑷ 表示「**在（到）…的那一邊**」，相當於 "to *or* at the other side of"

His home is ***over*** the sea.（他家在海的那一邊。）
His house is just ***over*** the way.（他的房子就在路的那邊。）

⑸ 表示「**遍及…的各部分**」，相當於 "in *or* across every part of"

Snow is falling ***over*** the north of England.（英格蘭北部到處都下雪。）
English is spoken all ***over*** the world.（全世界都講英文。）

⑹ 表示「**階級高於…；權力大於…**」之意。

We have a captain ***over*** us.（我們有一位隊長統轄我們。）
He rules ***over*** the country.（他統治那個國家。）

⑺ 表示「**超過某一數量；比…更多**」，相當於 "more than"

I have lived in Taipei ***over*** ten years.（我住在台北超過十年了。）
It costs ***over*** one hundred dollars.（它值一百元以上。）
The number of students in a class should not be ***over*** fifty.
（一個班級的學生人數不應超過五十人。）

⑻ 表示「**越過某一時間**」。

He'll stay here ***over*** Sunday.（他將留在此地，直到過了星期日。）
He spoke for ***over*** an hour.（他說了一個多鐘頭。）

⑼ 表示「**情緒的原因**」，通常和 cry（哭泣），grieve（悲傷），laugh（笑），mourn（哀傷），rejoice（高興；欣喜），weep（哭泣）等表情緒的動詞連用。

He is so foolish as to *cry* ***over*** a novel.（他很愚蠢，會因受小說感動而哭泣。）
She *grieved* ***over*** her misfortune.（她因自己的不幸而悲傷。）
They *rejoiced* ***over*** the glorious victory.（他們因光榮的勝利而歡樂。）

⑽ 表示「**正在做某事的時候**」，相當於 "while engaged in"

We had a chat ***over*** a cup of coffee.（我們一面喝咖啡一面聊天。）
I heard her singing ***over*** her work.（我聽見她在工作時唱歌。）

⑾ 表示「**關於…；有關…；談論有關…的事情**」。

Let's talk ***over*** the matter.（讓我們談談這件事。）
It's no use crying ***over*** spilt milk.（覆水難收。）

⑿ 作「**透過…；由…**」解。

He spoke to me ***over*** the telephone.（他透過電話和我談話。）
I heard the news ***over*** the radio.（我由收音機聽到那消息。）

36. **past**

⑴ 表示時間上超過，作「**超過…（時間）**」解，相當於 "beyond in time; after"

He is ***past*** sixty.（他已超過六十歲了。）
It is ***past*** noon.（現在已經超過中午。）
I get up at half ***past*** six in the morning.（我在早上六點半起床。）

⑵ 表示空間上的超過，作「**經過；走過**」解。

I went ***past*** his house.（我經過他家。）
I went ***past*** the city government every day.（我每天走過市政府。）

⑶ 表「**超過…的限制、權力或範圍**」，相當於 “beyond the limit, power *or* range of”

He is ***past*** remedy.（他是無可救藥。）
The pain was almost ***past*** bearing.（這疼痛幾乎令人難以忍受。）
She is now ***past*** hope of recovery.（她已經沒有復原的希望了。）

37. **through**

⑴ 表示「**時間從…開始到結尾**」，相當於 “from beginning to end of”

He guarded us all ***through*** the night.（他整晚守護我們。）
He works hard all ***through*** the year.（他整年都很努力工作。）

⑵ 表示「**一直到（並包括）某時間**」，但限於美國英語。

We shall be in London from noon on Tuesday ***through*** Saturday.
（從星期二的中午到星期六，我們都會在倫敦。）

⑶ 表示「**從這端至另一端；穿過**」。

The troops marched ***through*** the town.（軍隊從城中走過。）
The baby crept ***through*** the hole and laughed joyfully.
（這嬰兒爬過這個洞而笑得很開心。）
The men cut a tunnel ***through*** the mountain.（那些人鑿一座隧道穿過山。）

⑷ 表示「**遍及…整個地區**」。

He has traveled all ***through*** the world.（他的足跡遍及全球。）
The news soon spread ***through*** the village.（這消息很快地傳遍了村莊。）

⑸ 表示媒介、方法，作「**藉、靠、經由**」解，相當於 “by means of”

I obtained my position ***through*** a friend.
（我藉一位友人的幫忙而得到這個職位。）
He succeeded ***through*** industry.（他由於勤勉而成功。）
He received a remittance ***through*** the bank.（他經由銀行收到一筆匯款。）

⑹ 表示原因，作「**因爲**」解。

He cut himself ***through*** carelessness.（他因不小心而割傷了自己。）
The woman refused help ***through*** pride.（那女人爲了自尊而拒絕接受援助。）

⑺ 表示「**動機**」。

I read the novel ***through*** curiosity.（我出於好奇而讀這本小說。）

⑻ 表示「**結束；完成**」。

We are ***through*** school at three.（我們三點鐘放學。）
He has read ***through*** my paper.（他讀完了我的論文。）

38. **throughout**

在下列用法中與 through 相通，只是 throughout 的語氣較強。

⑴ 表示時間「**從…開始到結尾**」。

It rained ***throughout*** the night.（下了整晚的雨。）

⑵ 表示「**遍及…整個地區**」。

There is good furniture ***throughout*** the house.（房子裡面到處都是好的傢俱。）

Pollution is a serious problem in major cities ***throughout*** the world.
（污染是全球各大城市的一個嚴重的問題。）

39. **to**

⑴ 表示時間的終點，作「**至…；到…**」解。

He works from morning ***to*** night.（他從早到晚都在工作。）

It is ten minutes ***to*** five.（現在是差十分就五點；現在是四點五十分。）

⑵ 表示「**行程的終點；目的地**」。

He went ***to*** America last year.（他去年去美國。）

The apple dropped ***to*** the ground.（蘋果掉落在地上。）

⑶ 表示方向，作「**朝…；向…**」解，相當於 "in the direction of; towards"

France lies ***to*** the south of England.（法國位於英國的南方。）

Turn ***to*** the right.（向右轉。）

⑷ 表示「**接觸；很接近**」。

He sat close ***to*** me.（他緊坐在我的旁邊。）

My house is now joined ***to*** the station.（現在我的房子是與車站毗鄰。）

⑸ 表示「**目的**」，通常和 end（目的），effect（意思；大意），purpose（目的），構成 to this (that) end, to the end that, to that effect, to the effect that（大意上是說），to some purpose, to no purpose 等片語。

He wishes to enter the diplomatic service, and ***to this end*** he is now studying French.
（他希望入外交界服務，爲此目的他正學法文。）

I cannot comply with him and ***to that effect*** I have written to him.
（我不同意他，正將此意寫信告訴他。）

I tried to persuade him, but all ***to no purpose***.（我力勸他，但沒有效。）

We sat down ***to*** dinner.（我們坐下來吃飯。）

Mother came ***to*** the rescue.（母親前來援救。）

(6) ***to*** 常與 astonishment（驚訝），delight（欣喜；愉快），disappointment（失望），distress（苦惱；悲痛），horror（恐怖），joy（高興），regret（後悔），relief（放心），satisfaction（滿意），shame（羞愧），sorrow（悲傷），surprise（驚訝）等情感名詞，表示「**某種行動後產生的情感**」，常以 **to one's + N + of sb**. 或 **to + N + of sb**. 的形式出現。

He has recovered, much ***to*** *the delight of his friends*.（他已康復，他的朋友都很高興。）
To *their joy*, he came back home in safety.（使他們高興的是，他安全地回到家。）
To *my deep regret*, I cannot accept your invitation.
（我不能接受你的邀請，使我深感遺憾。）
To *my great surprise*, he played the piano wonderfully well.
（使我大吃一驚的是，他彈鋼琴彈得非常好。）
I hope the investment will prove ***to*** *your advantage*.（我希望此項投資將對你有利。）
The performance is greatly ***to*** *his credit*.（他的這表演很值得稱讚。）

【**類例**】

to one's disappointment　令某人失望的是	***to*** one's shame　令某人丟臉的是
to one's distress　令某人悲痛的是	***to*** one's sorrow　令某人悲傷的是
to one's relief　令某人放心的是	***to*** one's dismay　令某人驚慌的是

(7) 表示行為的對象，作「**對；對於**」解。

This book belongs ***to*** me.（這本書是我的。）
She is kind ***to*** me.（她對我很友善。）
He was faithful ***to*** his friends.（他對朋友很忠實。）

(8) 表示「**限制；範圍；程度**」。

His knowledge of language is limited ***to*** English and French.
（他對語言的知識限於英文和法文。）
This apple is rotten ***to*** the core.（這個蘋果爛到果心。）
He did the work ***to*** the best of his ability.（他盡最大的努力做這個工作。）
She blushed ***to*** the roots of her hair.（她滿臉通紅。）
He emptied his purse ***to*** the last penny.（他把錢花得精光。）
She acted the part of Juliet ***to*** perfection.（她把茱麗葉演得十分完美。）
He drank himself ***to*** death.（他飲酒過度而死。）

(9) 表示「**比較；比率；比例**」。

This one is certainly inferior ***to*** that.（這個確實不如那個。）
I prefer death ***to*** dishonor.（我寧死不受辱。）
The chances are ten ***to*** one.（十分之一的機會。）
The score was nine ***to*** five.（分數是九比五。）
Three is ***to*** four what six is ***to*** eight.（三比四等於六比八。）

⑽ 表示「**加在一起；結合**」。

He added milk ***to*** his coffee.（他加牛奶於咖啡中。）

⑾ 表示「**適合；配合；伴隨**」。

Her dress is not ***to*** my taste.（她的穿著不合於我的喜好。）
We danced ***to*** the music.（我們配合著音樂跳舞。）

⑿ 表示「**相反；對立**」。

He was opposed ***to*** my plan.（他反對我的計畫。）
The house shook ***to*** the wind.（房子迎著風搖動。）

⒀ **表示各種關係，可用於下列幾種情形：**

① 表「**間接受詞關係**」。

He gave the letter ***to*** me.（他給我這封信。）
= He gave me the letter.
I gave the book ***to*** him.（我把書給了他。）
= I gave him the book.

② 表「**親族關係**」，to 與 of 都可用在這種用法中，但兩者的意義有差別。

Mary is a foster daughter ***to*** her.（瑪莉是她的養女。）

【比較】
- She was the mother ***of*** many children.【所有關係】
（她是許多孩子的媽媽。── 孩子都是她親生的）
- She was a mother ***to*** the orphans.【親族關係】
（她做了這些孤兒的母親。── 視孤兒如己出）

③ 表「**職務或所屬關係**」。

She is private secretary ***to*** the general manager.
（她是總經理的私人秘書。）
This is the key ***to*** my room.（這是我房間的鑰匙。）
The hunter fell a victim ***to*** a lion.（獵人被獅子咬死。）
He is a slave ***to*** avarice.（他是貪婪的奴隸。）

40. **toward(s)**：在美國多用 toward；在英國多用 towards。

⑴ 表示時間，作「**將近**」解，相當於 “near”

He came ***towards*** the middle of March.（他是將近三月中來的。）
It began to rain ***towards*** evening.（將近傍晚的時候開始下雨。）
I went to bed ***towards*** eleven o’clock.（在將近十一點鐘時我去睡覺了。）
He became a devout Buddhist ***towards*** the end of his life.
（他晚年成了虔誠的佛教徒。）

⑵ 表示方向，作「**向、對、朝…方向**」解，相當於 "approaching; in the direction of"

He was walking ***towards*** the sea.（他向大海走去。）
We sailed ***towards*** Africa.（我們朝著非洲航行。）
His back was ***towards*** me.（他背對著我。）

⑶ 表示「**漸漸達到…階段；有…的傾向**」之意。

Things are working ***towards*** a solution of the problem.（事情漸至解決階段。）
Our country is rapidly moving ***towards*** prosperity.
（我們的國家正迅速地走向繁榮。）

⑷ 作「**對於；關於**」解，相當於 "in relation to; as regards"

He feels friendly ***towards*** all children.（他對所有的兒童都很友善。）
What is his attitude ***towards*** war?（關於戰爭，他的態度如何？）

⑸ 作「**爲了…；有助於…**」解，相當於 "for the purpose of (helping)"

Save money ***towards*** your old age.（要爲老年時期存錢。）
Will you give something ***towards*** our new hospital?
（爲了我們的新醫院，你要不要捐一點款？）

41. under

⑴ 表示位置，作「**在…的下面；從…的下面經過**」解，與 over 相反。

A man was concealed ***under*** the bed.（有一個人躲在床下。）
He is now swimming ***under*** the bridge.（他正在橋下游泳。）

⑵ 作「**在…的腳下**」解，相當於 "at the foot of"

The soldiers were standing ***under*** the castle wall.（士兵們站在城堡的牆腳下。）

⑶ 表示「**被覆蓋在…裡面**」，相當於 "in and covered by"

He wore a vest ***under*** his jacket.（他在夾克裡面穿了一件背心。）
She has a parcel ***under*** her arm.（她的手臂下面夾著一個包裹。）

⑷ 表示「**地位或階級低於…**」，相當於 "lower (in rank) than"

No one ***under*** a count can hold the post.（伯爵以下的人不能勝任這職位。）
I remember that Jack is an officer ***under*** the rank of major.
（我記得傑克是一個少校以下的軍官。）

⑸ 表示「**數量少於…**」，可用於表示年齡、數量、金錢、時間等。

The children are ***under*** seven years old.（那些小孩尙未滿七歲。）
There were ***under*** a hundred present.（出席者不到一百人。）
Can I buy it for ***under*** ten dollars?（我能以低於十元的價錢買到它嗎？）
This work cannot be finished ***under*** a month.（這項工作在一個月以內無法完成。）

(6) 表示「**在…的管轄、監督、統治、保護、指導之下**」。

The United States was (formerly) a colony ***under*** the British government.
(美國以前為英國管轄下的殖民地。)

The children are ***under*** my charge. (這些孩子由我負責照顧。)

Taiwan had been ***under*** Japanese control for fifty-one years.
(台灣在日本人的控制下有五十一年。)

The hen gathers her chickens ***under*** her wings. (母雞集合小雞保護在她翅膀下面。)

I studied French ***under*** Mr. Wang. (我在王先生的指導下學法文。)

【**類例**】

under one's thumb 受某人的壓制	***under*** the heel of 在…蹂躪下
under the auspices of 在…贊助下	***under*** the influence of 在…影響下
under the care of 在…的照顧下	***under*** the patronage of 在…支援下
under the command of 在…指揮下	***under*** the protection of 在…保護下
under the control of 在…控制之下	***under*** the rule of 受…的統治
under the direction of 在…指導下	***under*** the supervision of 在…的監督之下
under the domination of 為…所統治	***under*** the treatment of 由…治療
under the guidance of 在…指導下	***under*** the yoke of 在…桎梏之下

(7) 表示「**在…重擔下；受…的壓力**」。

He sank ***under*** a burden. (他不堪重任。)

I could not walk a step ***under*** such a load. (這樣的重擔下，我一步也走不動了。)

(8) 表示「**屬於…項目之下；包括在…**」，常和動詞 class, come, explain, fall, treat 等連用。

A man is classed ***under*** the category of mammal. (人類被歸入哺乳類。)

Cups and saucers come ***under*** crockery. (杯子和碟子是屬於陶器類。)

(9) 表示「**在…情況下；在…處境中**」。

I cannot help you ***under*** these conditions. (在這些情況下，我不能幫助你。)

Under these circumstances, we can do nothing but wait.
(在這些情況下，我們只能等待。)

He is ***under*** a cloud just now. (他目前遇到麻煩。)

【**類例**】

under difficulties 在困難之下	***under*** orders 奉命
under no necessity of 不需要	***under*** the necessity of 必須

(10) 表示「**在…的掩飾之下；在…的庇護之下；偽裝**」。

The enemy approached ***under*** cover of a fog. (敵人在大霧掩蔽下趨近。)

He did not work ***under*** the pretence of illness. (他假藉有病而不工作。)

He came ***under*** the guise of a worker. (他裝作工人的模樣前來。)

He traveled ***under*** the disguise of a monk. (他裝扮成僧侶去旅遊。)

【類例】

under a false name 用假名、化名	***under*** the mask of 假借…爲名；在…假面具之下
under a name 用假名	***under*** the name of 以…名義
under an assumed name 化名	***under*** the plea of 以…爲藉口
under the cloak of 假裝；以…爲託辭	***under*** the pretence of 託辭、藉口
under color of 以…爲藉口	***under*** the pretext of 藉口、僞裝
under (the) cover of 在…掩護下；假藉	
under the veil of 假裝；以…爲託辭	***under*** (***in***) the guise of 裝扮成；在…假面具之下

(11) 表示一件事情仍在處理或進行之中，作「**正在…之中**」解。

He is ***under*** medical treatment.（他在接受醫療中。）
A new schoolhouse is ***under*** construction.（一棟新的校舍在建造中。）
The new machine is ***under*** examination.（新機器在檢查中。）
The bridge is ***under*** repair.（那座橋在修理中。）
We walked carefully because the road was ***under*** repair.
（我們小心走路，因爲道路在修理中。）
The case is ***under*** trial.（這案子正在審理中。）

【類例】

under consideration 在考慮中	***under*** investigation 在調查中
under cultivation 在耕作中	***under*** the hammer 在拍賣中
under discussion 在討論中	***under*** the plow 在耕種中
under fire 在砲火中；被攻擊中	***under*** way 在進行中

42. up

(1) 表示動作向上，作「**向…的上面**」。

She ran ***up*** the stairs.（她跑上了階梯。）
The sparks flew ***up*** the chimney.（火花飛上煙囪。）

(2) 表示「**在或向…的上游**」。

The house stands ***up*** the river.（那房子位於河的上游。）
Some fish go ***up*** the stream in spring to spawn.
（春天有些魚會逆流而上來產卵。）

(3) 作「**沿著**」解，相當於 "along"，當 up 和 walk, come, drive, ride, run 等動詞連用時所表示的方向，究竟是由近而遠或是由遠而近，要看上下文的關係或文句的內容而定。

They walked ***up*** the street.【walked up 所指的方向並不能確定】
（他們沿著街道走。）
I saw some students coming ***up*** the street.【coming up 指由遠而近】
（我看見一些學生沿著街道走來。）

43. **with**

⑴ 表示「**和…一起**」。

Oxygen combines ***with*** hydrogen to form water.（氧和氫結合成水。）
He bought a shirt together ***with*** a necktie.（他買了襯衫和領帶。）
He is going to study English ***with*** me.（他要和我一起學英文。）
Don't play ***with*** him.（不要和他一起玩。）
He is staying ***with*** his uncle.（他和他的叔叔住在一起。）

⑵ 表示「**一致；同意；同情**」之意。

Do you say that his opinion *coincides* ***with*** mine?
（你是說他的意見和我一致嗎？）
As to this point I cannot *agree* ***with*** you.（關於這一點我不能同意你。）
He is such a cold-blooded man as will never *sympathize* ***with*** anybody else.
（他是這麼冷酷的人，絕不會同情任何人。）

【**類例**】

at one ***with*** 與…一致
in conformity ***with*** 依照；與…一致
in accordance ***with*** 依照；與…一致
in harmony ***with*** 與…協調一致；與…和睦
in common ***with*** 與…相同

⑶ 表示「**與…同時或同向；隨著**」。

With these words he went out.（他說完這些話就出去了。）
The boat floated along ***with*** the current.（小船順水漂流。）
His earnings increased ***with*** his power.
（他的收入隨著他的權力而增加。）

⑷ 表示「**用…材料覆蓋、填充、裝飾、供應等**」。

The road is paved ***with*** stones.（這條路是用石頭舖砌的。）
Fill the glass ***with*** wine.（把杯子裝滿酒。）
The bay is studded ***with*** islands.（這海灣散佈著島嶼。）
His hands were stained ***with*** dye.（他的雙手沾上了染料。）
We are well provided ***with*** food and clothing.（我們吃得好、穿得好。）

⑸ 表示工具、媒介，作「**用…；以…**」解，with 在此種用法中可用於主動語態和被動語態的句子中。

He wrote the letter ***with*** a pencil.（他用鉛筆寫那封信。）
I dry my hands and face ***with*** a towel.（我用毛巾擦乾手和臉。）
The teacher tested the students ***with*** many questions.
（老師以許多問題測驗學生。）
The tree was cut down ***with*** an axe.（這棵樹被斧頭砍倒。）

⑹ 表示「**具有；附有**」之意，相當於 “having”

There was a box ***with*** a lid on the desk.（桌上有一個附有蓋子的盒子。）
I bought a house ***with*** a red roof.（我買了一間有紅屋頂的房子。）
I got your letter ***with*** the check.（我收到你附有支票的信。）

⑺ 表示「**帶在…身上**」，多用在 bring, carry, have, take 等動詞之後。

I have no money ***with*** me.（我身上沒有帶錢。）
Do you have the list ***with*** you?（你身上有帶著那張清單嗎？）

⑻ 表示關係，作「**關於；對於…而言；在某人眼裡**」解，相當於 “in regard to; concerning”

It is a custom ***with*** the Chinese.（那是中國人的習俗。）
How are things ***with*** you?（你的近況如何？）
Something must have gone wrong ***with*** him.（他一定有什麼事不對勁。）
Whatever you decide is all right ***with*** me.（無論你做什麼決定，對我來說都可以。）
With some people, pleasure is more important than work.
（在某些人的眼裡，玩樂比工作更爲重要。）
High taxes are unpopular ***with*** many people.（對於許多人而言，重稅是不受歡迎的。）
It is day ***with*** us while it is night ***with*** the Americans.
（對我們而言此時是白天，然而對美國人而言是夜晚。）

⑼ 表示「**狀態**」，with 在此種用法中，後面常與一抽象名詞連用，形成一副詞片語，其中大部分可等於一副詞。

He can read French ***with*** *ease*（= *easily*）.（他能輕易地讀法文。）
She spoke ***with*** *calmness*（= *calmly*）.（她平靜地說話。）
He swam across the river ***with*** *difficulty*.（他好不容易才游過河流。）
He left ***with*** *a heavy heart*.（他帶著沉重的心情離開了。）

【**類例**】

with a light heart 愉快；欣然
with a roar 大吼
with a shout of triumph 歡呼
with a smile = smilingly 微笑地
with all one’s heart 誠心誠意
with all one’s might 盡全力地；拚命地
with an effort 努力；奮力
with anger = angrily 憤怒地；生氣地
(receive sb.) ***with*** open arms 熱情地（迎接某人）
with care = carefully 小心地
with courage = courageously 英勇地；勇敢地
with sincere pleasure 由衷喜悅地
with sorrow = sorrowfully 悲傷地
with tears in one’s eyes 含淚
with elation 得意洋洋地
with fluency = fluently 流利地；順暢地
with a growl = growlingly 咆哮
with joy = joyfully 高興地；快樂地
with kindness = kindly 親切地
with one accord voice 異口同聲
with one’s whole heart 一心一意；聚精會神
with pleasure = pleasurably 樂意地；愉快地
with earnestness = earnestly 認眞地
with efficiency = efficiently 有效率地

⑽ 表示原因、理由，常作「**因為；由於**」解。

She was trembling ***with*** fear.（她因恐懼而發抖。）
The teachers were pleased ***with*** the students' progress.（老師對學生們的進步感到滿意。）
Hearing the news, she is mad ***with*** joy.（聽到這消息，她欣喜若狂。）
She is in bed ***with*** a cold.（她因感冒而臥病在床。）
She died ***with*** horror.（她嚇死了。）

⑾ 表示「**比較**」，用在 compare with 或 in comparison with 的形式中。

His English cannot *compare* ***with*** mine.（他的英文比不上我。）
This book is valuable *in comparison* ***with*** that.（這本書較那本書有價值。）

⑿ 表示「**對照；對比**」常和 contrast 連用。

You may *contrast* this book ***with*** another one.（你可以把這本書和另外一本對照一下。）
This color *contrasts* well ***with*** green.（這個顏色和綠色形成了明顯的對比。）

⒀ 表示「**歸…照顧、管理、保有**」。

Leave the child ***with*** (= in the care of) its aunt.（把小孩留給他的姑媽照顧。）
Leave the baggage ***with*** me.（把行李交給我吧。）
Some books are deposited ***with*** John.（有些書被交給約翰保管。）

⒁ 表示「**與…分離；放棄**」。

She has parted ***with*** her car.（她已把她的車子賣了。）

【註】 part with 指「**與某物分離；放棄某物**」；part from 指「**與某人分離**」。
It was intolerable to ***part with*** the book.（眞捨不得放棄那本書。）
I ***parted from*** him at noon.（我中午和他分手。）

⒂ 表示「**不一致；敵對；反對**」之意。

He argued ***with*** his father.（他和父親爭論 —— 意見不一致。）
They were at war ***with*** Germany.（他們與德國交戰。）
He struggled ***with*** his opponent.（他和他的對手搏鬥。）
I had a quarrel ***with*** him last night and we were both angry.
（我昨晚和他吵架，我們兩人都很生氣。）
He finds fault ***with*** everything I do.（我所做的一切他都要吹毛求疵。）

【**類例**】

battle ***with*** 和…搏鬥；和…戰鬥
collide ***with*** 和…相撞；和…抵觸；和…衝突
combat ***with*** 和…格鬥；和…爭鬥
compete ***with*** (against) 和…競爭
contend ***with*** 和…爭鬥；和…競爭
cope ***with*** 應付
debate ***with*** 與…辯論
dispute ***with*** (against) 與…爭辯
fall out ***with*** 和…吵架
fight ***with*** 和…打架
fool ***with*** 玩弄
interfere ***with*** 妨礙
joke ***with*** 和…開玩笑
strive ***with*** (against) 與…抗爭
trifle ***with*** 玩弄
vie ***with*** 和…競爭
war ***with*** (against) 和…作戰

(16) 表示讓步，作「**儘管；雖然**」解，相當於 “in spite of; notwithstanding”

With all his money, he is unhappy.（儘管他有錢，他並不快樂。）
With all his effort, he failed in the end.（雖然他很努力，他最後還是失敗了。）

(17) 表示「**某一動作的附帶狀態**」，常形成「with + 受詞 + 受詞補語」的句型。（參照 p.462）

I sleep ***with*** the windows open.（我開著窗睡覺。）
He went out ***with*** his hat on.（他戴著帽子出去。）
She went shopping ***with*** a baby in her arms.（她抱著嬰兒上街購物。）
He stood ***with*** the telegram in his hand.（他拿著電報站著。）
He was sitting ***with*** his back against the wall.（他背靠著牆壁坐著。）

(18) **與副詞連用形成「副詞 + with + 受詞」的感嘆句**。（參照 p.642）

Off ***with*** your hat! = Take off your hat!（脫帽！）
Off ***with*** you! = Be off with you!（滾開！）
Down ***with*** the door!（把門敲倒！）
Down ***with*** the imperialism!（打倒帝國主義！）
Away ***with*** the illusion!（不要幻想！）
Down ***with*** the tyrant!（打倒暴君！）
Down ***with*** communism!（打倒共產主義！）

44. within

(1) 表示「**在…的時間以內**」，特別強調「不超出某時間以外」，常用於未來式中。

Within two hours we shall reach the station.
（在二小時之內我們便可到達車站了。）
You must finish your work ***within*** this week.
（在本週內你必須完成你的工作。）

(2) 表示「**在…距離以內；不出…之遠**」。

We came ***within*** sight of the island.（我們到了可以看見那個島的地方。）
There is no hospital ***within*** three miles of the village.
（離村莊三哩內沒有任何醫院。）
The bird alighted ***within*** a stone’s throw of us.
（這隻鳥棲息在我們一投石的距離內。）

(3) 表示「**在一確定的區域內部**」。

The goods are delivered free of charge ***within*** the limits of the city.
（商品在本市免費送交。）
By the X-ray, doctors can see ***within*** the body.
（藉著 X 光，醫生們能觀察人體內部。）
The house is ***within*** the walls.（這房子在圍牆之內。）

【類例】

within an ace of 差一點	***within*** call	能聽到聲音的範圍內
within doors 在屋內	***within*** earshot	
within range 在射程內	***within*** hail	
within range of 在…的射程內；在…範圍內	***within*** hearing	

⑷ 表示「**在能力、職權等範圍之內**」，爲 beyond 的相反詞。

The task is ***within*** his powers.（這項工作是他的能力所能勝任的。）
Everyone should manage to live ***within*** his means.
（人人必須設法量入爲出地生活。）
Such things are ***within*** our knowledge.（這些事是我們所能了解的。）
It is not ***within*** my reach (power) to build a hospital.
（建一所醫院超過我的能力所及。）

【比較】It is ***within*** my reach to help him.（幫忙他是我所能做到的。）
It is ***beyond*** my reach to help him.（幫忙他是超過我所能做到的。）

45. **without**

⑴ 表示否定，作「**沒有；無；不需**」解，爲 with 的相反詞。

He left ***without*** saying good-bye.（他沒說再見就走了。）
You can now study ***without*** worry.（你現在可以無憂無慮地讀書了。）
We accomplished the task ***without*** difficulty.
（我們毫無困難就完成了這工作。）
Can you do it ***without*** his knowing it?（你能做此事而不讓他知道嗎？）

⑵ 用在 no, not, never 等否定副詞之後，表示雙重否定，作「**沒有…不；沒有…則不能…；每…必定…**」解。

He can*not* live ***without*** her.（他沒有她活不下去。）
You can*not* succeed ***without*** working hard.（不努力你就不能成功。）
They *never* meet ***without*** quarreling.（他們每次見面必定吵架。）

⑶ 表示條件，作「**若無；若非**」解。

We cannot do anything well ***without*** *taking trouble.*
= We cannot do anything well *if we don't take trouble.*
（倘若我們不忍受勞苦就不可能將任何事做好。）

Without *air*, no one could live.（若無空氣，沒有人能活。）
= *If there were no air*, no one could live.

第三章 介系詞用法的分類

I. 有關時間的介系詞

1. at, in, on「在…」

(1) **at** 用於指時間的一點。

at half past six 在六點半
at the beginning 最初
at noon 在中午
at that moment 在那一刻
at daybreak 在黎明
at midnight 在半夜
at this time of the year 在一年的這個時候
at the end of April 在四月底

(2) **in** 用於指**比較長的時間**，例如年、月、週、季節等。(參照 p.578)

in January 在一月
in 2010 在二〇一〇年
in spring 在春天
in these days 最近
in the morning 在早上
in recent years 在最近幾年
in the daytime 在白天
in the 20th century 在二十世紀
in the beginning 起初；最初
in the end 最後；結果；終於

(3) **on** 用於指**特定的日子、時候**等。(參照 p.591)

on Sunday 在星期日
on the 5th of May 在五月五日
on this occasion 在這種場合
on Sunday morning 在星期天早上
on Christmas Eve 在聖誕節前夕
on the morning of May 5 在五月五日的早上
on my return to Taipei 當我回到台北的時候
on waking up the next morning 第二天早上醒來時

(4) **at, in, on** 表示時間時，有下列的習慣用法：

{ *in* the morning 在早上（指平常日子的早上）
{ *on* Sunday morning 在星期日的早上（指某特定日子的早上）

{ *in* those days 在那時期
{ *on* that day 在那天

{ *in* these times 最近
{ *at* this time 現在

{ *at* the age of sixty 在六十歲的時候
{ *in* his old age 在他的晚年

(5) **不使用 at, in, on 的情形：**

① **tomorrow, today, yesterday, tonight** 直接作爲副詞使用時，絕對不可再用介系詞。

He went home ***yesterday***.（他昨天回家了。）
Come ***tonight***.（請今晚來。）

② **this, last, next, every** 等接於表示時間的名詞之前時，此名詞作爲**副詞性的受詞**不用介系詞。(參照 p.100, 199)

He died ***last year***.（他去年去世了。）
He will come ***next year***.（他明年會來。）

【註】 **last**, **next** 置於星期幾之後，則須要 **on**。

He will come { ***next Sunday***. / ***on Sunday next***. } （他下個星期日會來。）

I visited him { ***last Sunday***. / ***on Sunday last***. } （我上個星期日拜訪過他。）

2. **since**, **from**, **after**「自…」

⑴ **since**「自從…（到現在）」: 表示時間的繼續，通常與現在完成式、現在完成進行式連用。（參照 p.493）

I have lived in this city ***since*** the end of the war.
〔我自從戰爭結束（到現在）一直住在這城市。〕

He has been studying English ***since*** the beginning of this year.
〔他自今年開始（到現在）一直在學習英語。〕

It is only a week ***since*** the great fire.〔發生大火（到現在）才只不過一星期。〕

⑵ **from**「自…起」:
表示某事開始的時間，與那事歷時多久或何時結束無關。

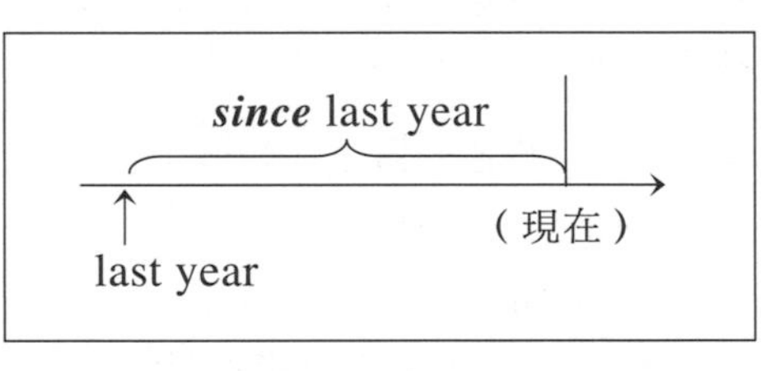

I knew him ***from*** his childhood.
（自從他幼年時代我就認識他了。）

From now on I will take care of you.（從今以後，我將照顧你。）

【註 1】 **from** 後面接 **to**, **till** 可表示時間的終點。（詳見 p.575）

I lived in this city ***from*** 1990 { ***to*** / ***till*** } 2009.
（我自一九九〇年至二〇〇九年住在這城市。）

It was repeated ***from*** morning { ***to*** / ***till*** } night.
（那件事從早到晚再三被重複著。）

【註 2】 **from** 用於表示時間的起點時，不可與 **begin**, **commence**, **start** 等表示「**開始**」的動詞連用。（詳見 p.574）

Our school ***begins*** { ***at*** eight. / ***in*** April. / ***on*** the 10th. }

（我們學校 { 八點 / 四月 / 十日 } 開始上課。）

Our journey ***began with*** buying tickets.（我們的旅行自買票開始。）

⑶ **after**「自…後」：表示**某事情以後**的事。

After that everything was different.（從那以後，所有的事情都不同了。）

I went out ***after*** breakfast.（我早餐後就出去了。）

【比較】 I have been reading ***since*** five o'clock.〔我從五點鐘（到現在）一直在讀書。〕

I read ***from*** five to six o'clock.（我從五點鐘起到六點都在讀書。）

I read ***after*** five o'clock.（自五點鐘以後我都在讀書。— 五點以前沒有在讀書。）

3. **to, before, by, till (until)**「到…」

⑴ **to**「到…」：表示**時間的終點**。與表示時間起點的 from 相對。

Even ***to*** this day they have been ignorant of the fact.（直到今天，他們還不知道事實。）

It went on raining *from* April ***to*** August.（從四月到八月，都一直在下雨。）

⑵ **before**「在…以前；直到…前」：指**某件事情以前**的事。

I will not start ***before*** six o'clock.（我不會在六點以前出發。— 不到六點我不出發。）

Before the war everything was different.

〔戰爭以前（戰爭尚未爆發期間；直到戰爭以前），每件事情都不一樣。〕

⑶ **by**「最遲在…之前」：表示**某事最遲也在某期限完成**，須與表示非持續性動作的動詞（瞬間動詞）連用。

I will start ***by*** six o'clock.〔我（最遲）將在六點前出發。〕

The train will reach Taipei ***by*** tomorrow morning.

〔火車（最遲）將在明天早上到達台北。〕

The construction work will be finished ***by*** the end of the year.

〔建築工程（最遲）將在年底前完工。〕

【註】 by 作「在…期間」解的用法在 p.566。

⑷ **till, until**「直到…」：表示**某件事持續到某時爲止**，因此，須與表示持續性動作的動詞連用。

I will wait here ***till*** six o'clock.（我將在此地等到六點。）

The construction work will go on ***till*** the end of the year.（建築工程將持續到年底。）

【註】 **till 與 by 的比較：**

① 二者在意思上的區別，須特別加以注意。

Wait ***till*** six o'clock.（一直等候到六點鐘。— 從現在到六點持續不斷地等。）

Start ***by*** six o'clock.

（六點鐘以前出發。— 從現在到六點之間，何時出發都可以，不過最遲也要在六點前出發。）

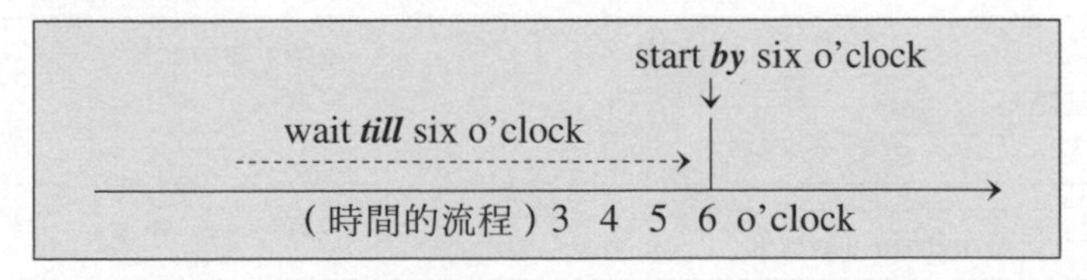

② till 在否定句中表示「直到⋯才」的意思。

I will ***not*** start ***till*** six o'clock.
（直到六點我才動身。── 不到六點我不動身。）

The construction work will ***not*** be finished ***until*** the end of the year.
（這建築工程一直到年底才會完工。）

【注意】 till 在肯定形式與否定形式中所表現的意義不同。

I shall stay here ***till*** the end of this month.
（我要在這裡待到本月底。── 動作持續到月底爲止。）

I shall ***not*** start ***till*** the end of this month.
（我直到月底才動身。── 直到月底動作才發生。）

③ 比較下列句子：

I shall be home ***by*** six.（我最遲會在六點以前回家。）

I shall be home ***before*** six.（我會六點以前回家。）

I shall be home ***till*** six.（我要在家裡待到六點。）

I shall not be home ***by*** six.（六點以前我不在家。）

I shall not be home ***before*** six.（我不會在六點以前回家。）

I shall not be home ***till*** six.（直到六點我才會回家。）

【否定句中的 *by*, *before*, *till* 的意義很相近】

4. **in, within, after**

⑴ **in** 用於未來式作「**再過（若干時間）**」解，用於過去式作「**花費（若干時間）**」解。
（參照 p.579）

I shall be home ***in*** a week.（再過一星期我就回家了。）

He will die ***in*** a few hours' time.（他再過幾小時就會死亡。）

They finished the game ***in*** three hours.（他們花費三小時完成比賽。）

⑵ **within**「在⋯以內」：表示**在若干時間以內**的意思。

I shall be home ***within*** a week.（我將在一星期內回家。）

She was sent to the hospital ***within*** an hour of her death.
（她在死亡後的一個小時內被送到醫院。）

Everything changed ***within*** a year.（在一年內，每一件事都變了。）

⑶ **after**「過⋯；經過⋯之後」：表示**過了若干時間之後**。

I shall be home ***after*** a week.（我一星期後回家。）

He died ***after*** five days.（過了五天後他就去世了。）

= *He died five days later.*

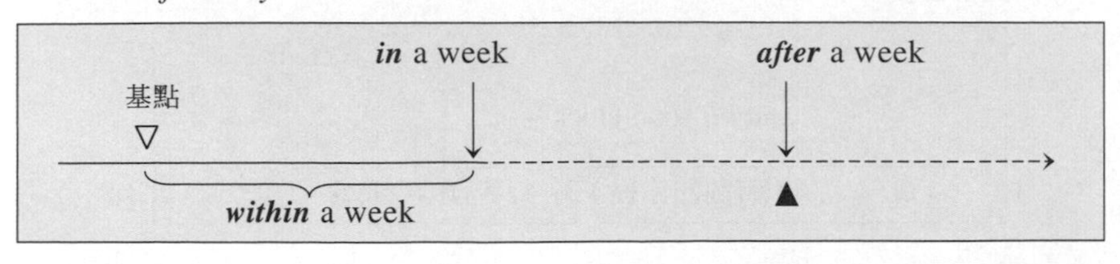

【比較】 He will die ***in*** five days.
（他再過五天就會去世。── 還能活五天。）
He will die ***after*** five days.
（他過了五天後才會死。── 至少還可以活五天。）

5. **for**, **during**, **through**「…期間」

⑴ **for**「歷時…」：表示**有一段時間**時，與表示持續性動作的動詞一起使用。

I lived here ***for*** five years.（我在此地住了五年。）
Wait (*for*) a moment.（等一下。）
This went on ***for*** a whole century.（這持續了整整一世紀之久。）

⑵ **during** 表時間時有兩種意義。

① **「在…期間」**：表示某動作在某一段期間中繼續著，在強調繼續的觀念，與表持續性動作的動詞連用。

I stayed there ***during*** the vacation.（在休假期間我都待在那裡。）
He worked in my place ***during*** my absence.（我不在時，他代替我工作。）
I lived there ***during*** those five years.（那五年期間我都住在那裡。）

【註】 during 與 for 皆用於指**某一段時間**之意，然而二者用法有所不同，**for** 不表特定的期間，只以數字表示某動作持續多久的一段時間。

I lived there *during* five years.【誤】
I lived there ***for*** five years.【正】
（我在那裡住了五年。）

② **「在…期間中的某一時間」**：表示某動作在某一段期間中發生，在強調時間觀念。

I often visited him ***during*** the vacation.
（我在休假期間內經常拜訪他。）
What are you going to do ***during*** the summer?
（這個夏天你打算做什麼？）

⑶ **through**「整個…時間；從開始到結束（毫無間斷）」，用 **all through**, **throughout** 表示，則語氣更強。

I stayed there ***through*** the vacation.
（整個假期我都待在那裡。）
He was ill in bed ***all through*** the vacation.
（整個假期他都臥病在床。）
He was a faithful man ***throughout*** the whole course of his life.
（在他的一生中，他始終都是個忠實的人。）

II. 有關場所的介系詞

1. **at, in**「在…」

at 表示位於較狹窄的地點。 A is *at* ○.
in 表示位於較寬廣的地方。 A is *in* □.

A tree stands ***at*** the corner of the street.
（在街道的轉角有一棵樹。）
A tree stands ***in*** the corner of the garden.
（在花園的角落有一棵樹。）
I saw a tree ***at*** a distance.【a distance 稍遠的地方】
（我看到一棵樹在稍遠的地方。）
I saw a tree ***in*** the distance.【the distance 遠方】
（我看到一棵樹在遠方。）

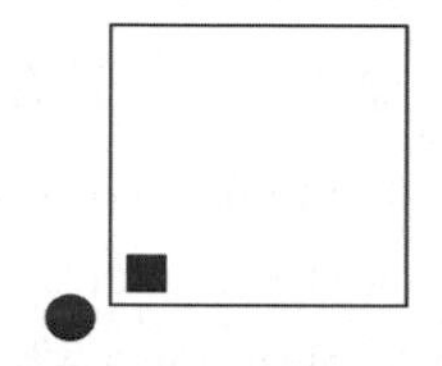

● stands ***at*** the corner of □.
■ stands ***in*** the corner of □.

【註】但是當兩個地名連用時，不論其本身之大小，**大的地名用 in，小的地名用 at**。

She arrived ***at*** New York ***in*** America.（她到達美國的紐約市。）
He was born ***at*** Taipei ***in*** Taiwan.（他出生於台灣台北。）

【注意】即使是狹窄的場所，如果要表示「**在其中**」，也可以用 **in**。即使是寬廣的地方，如果因爲離得很遠，而被認爲是一個地點時，也可以用 **at** 表示。

He was born ***in*** a small village near Birmingham.
（他出生於伯明罕市附近的一個小村莊。）
The first wave of this economic crisis was felt ***at*** New York.
（這經濟恐慌的第一波首先在紐約被感覺到。）

2. **at, to**「向…」

⑴ **at** 表示以**某一點爲目標**的意思，與表示行動的動詞連用。

The boy threw a stone ***at*** us.（那個男孩向我們丟石頭。）
People rushed ***at*** the gate.（人們都衝向門口。）
Now, look ***at*** this flower.（現在，請注意看這朵花。）

⑵ **to** 單純地表示方向。

She pointed ***to*** the window.（她指向窗戶。）
Now, listen ***to*** me carefully.（現在，注意聽我說。）
Be kind ***to*** others.（對待他人要親切。）

【註】如果表示場所以外的抽象目標，則用 **for**。

They all work ***for*** money.（他們全都是爲了金錢而工作。）
"What are you here ***for***?" — "Just ***for*** pleasure!"
(「你爲什麼在這裡？」—「只是爲了好玩！」)

3. **in, into, within**「…之中」

⑴ **in「在…之中；在」**：表示在某場所的內部。
into「進入…之中」：表示向某場所中移動的動作，或表示趨向某狀態的變化。

He sleeps ***in*** the room.（他睡在房間內。）
He comes ***into*** the room.（他進入房間。）
Don't throw a ball ***in*** the room.（不要在房間內投球。）
Don't throw a ball ***into*** the room.〔不要把球（從外面）投入房間。〕
I am ***in*** great trouble.（我很苦惱。）
I got ***into*** trouble.（我惹上麻煩了。）

【註】 **in** 作爲副詞使用時，與 into 同樣可表示移動或變化。

Come ***in***, please.（請進。）
Don't throw a ball ***in***.（不要把球投進來。）

⑵ **within「在…以內」**：表示不超出某區域範圍的意思。

You cannot build a factory ***within*** the limits of the city.
（你不能在這都市的範圍內建工廠。）
I live ***within*** five minutes' walk of the station.
（我住在從車站走路不到五分鐘的地方。）

4. **out of, from, through, off**「自…」

⑴ **out of**「在…的外面；到…的外面」：具有表示**位置和動作（變化）**兩種意思。與 in, into 意思相反。

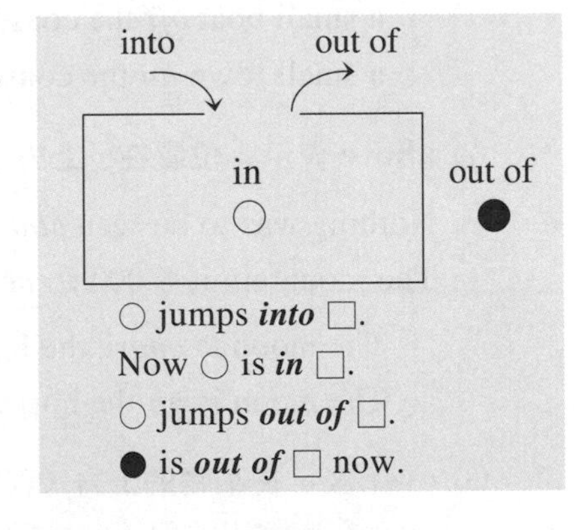

He sleeps ***out of*** the room.
（他睡在房間的外面。—— 位置）
He comes ***out of*** the room.
（他來到房間的外面。—— 動作）
He went ***into*** the kitchen, but soon came ***out*** (***of*** it), because there was nothing to eat ***in*** it.
〔他進入廚房，但是很快地（從那裡）出來了，因爲那裡面沒有吃的東西。〕

【註】 **out** 是**副詞**，不是介系詞，卻仍然具有表示位置或動作（變化）的意思。

Please stay ***out***.（請留在外面。—— 位置）
Please come ***out***.（請到外面來。—— 動作）

⑵ **from**「自…」：表示**動作的出發點**（終點以 **to** 表示）。

I came here ***from*** New York.（我從紐約來到此地。）
He jumped ***from*** the window *to* the pavement.
（他從窗戶跳到人行道上。）

⑶ **through**「自…」: 表示**動作所經過的途徑**。

He came here from New York ***through*** the Panama Canal.
(他從紐約經由巴拿馬運河來到此地。)

He jumped ***out of*** the room ***through*** the window.
(他從窗戶跳出房間。)

⑷ **off**「自…」: 表示**分離**的意思。

A book fell ***off*** the table. (一本書從桌上掉落。)
He was thrown ***off*** his horse. (他從馬背上摔下來。)
Keep it ***off*** the wall. (不要讓它接近牆。)

5. **on (upon), above, over, up**「在…上」

⑴ **on** 表示和**表面接觸**的意思，但未必是僅指上面的接觸，也可指側面或下面。(參照 p.592) 與此相反者為 **off「自…分開」**。

A book lies ***on*** a desk. (一本書在書桌上。)
A fly is ***on*** the ceiling. (一隻蒼蠅停在天花板上。)
A picture hangs ***on*** the wall. (一幅畫掛在牆上。)

比較下面兩組 on 和 off 的不同：

{ Keep an eye ***on*** your child. (留意你的孩子。)
{ Don't take your eyes ***off*** your child. (不要將目光從你的孩子身上移開。)

{ a small boat ***off*** the coast (離開海岸的一艘小船)
{ a small town ***on*** the coast (瀕臨海岸的一個小鎮)

⑵ **above** 表示「**位置在…上方**」，並隔有間隔。

Nothing was to be seen ***above*** our heads. (在我們的頭上看不到任何東西。)
The mountain is 8,000 ft. ***above*** sea level. (這座山海拔八千呎高。)

{ The moon is ***above*** the horizon. 〔月球在地平線(離開地平線)之上。〕
{ The moon is ***on*** the horizon. (月球在地平線上。)

⑶ **over** 表示**在某物的上方**，但未與表面接觸，over 在此種用法與 above 同義。(參照 p.597)

Put the kettle ***over*** a slow fire.
(把茶壺放在慢火上。)

I perceived a small signboard ***over*** the window.
(我看到在窗戶上的一個小招牌。)

English is spoken all ***over*** the world.
(英語被使用於全世界。)

A cloud spread ***over*** the summit.
(一朵雲覆蓋在山頂上。)

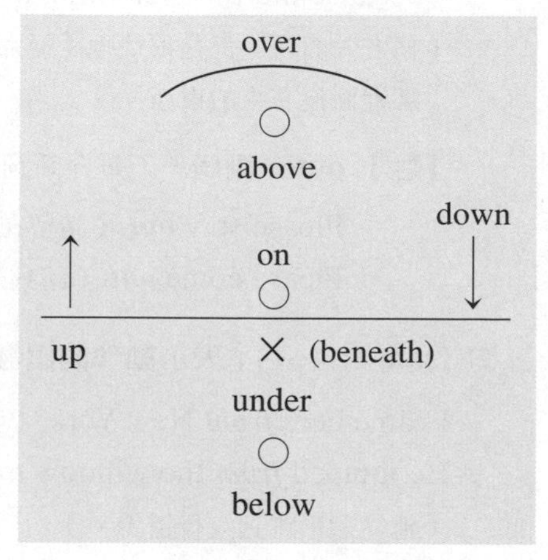

比較下列句子：

The lamp hangs { ***over*** / ***above*** } the desk.（燈垂掛在書桌上。）
The lamp is ***on*** the desk.〔燈（擺）在書桌上。〕

⑷ **up** 表示「**從下往上**」，與 **down** 的運動相反。

They sailed ***up*** the river to Shanghai.（他們溯河航行到上海。）
A small bus passed ***up*** and down this narrow street.【up and down 往返地】
（一輛小公共汽車來往於這條狹窄的街道。）

比較下列句子：

They ran ***up*** the hill.（他們跑上了山丘。）
They ran ***on*** the hill.（他們在山丘上跑。）
They flew { ***above*** / ***over*** } the hill.（他們飛過山丘。）

6. **under**, **below**, **down**, **beneath**「在…下」

⑴ **under** 與 over 的意義相反。

She concealed her legs ***under*** the table.（她把腿藏在桌子下。）
There is nothing new ***under*** the sun.
〔太陽底下（世界上的任何地方）沒有什麼新鮮事。〕

比較下面兩組句子：

We live ***under*** the same roof.（我們住在同一個屋頂下。）
We have a roof ***over*** our head.（我們頭上有屋頂。）

There was a pond ***under*** the willow tree.（柳樹下有一個池塘。）
A large willow tree hung ***over*** the pond.（一棵大的柳樹垂懸於池塘上。）

⑵ **below** 與 above 的意義相反，表示在下方，並有間隔。

We see a large tree just ***below*** the top of the hill.
（我們看到一棵大樹就在那山頂下面。）
Far ***below*** the moon there appeared a bright star.
（在月亮下面的很遠處出現了一顆明亮的星星。）

比較下列句子：

There is a waterfall ***below*** the bridge.（在橋的下游有一個瀑布。）
There is a boat ***under*** the bridge.（在橋下有一艘小船。）

My house stands far ***below*** where the bridge crosses the river.
（我的房子在比這座橋橫跨河流處更下游的地方。）
My house stands a mile ***above*** this bridge.
（我的房子在此橋上游一哩的地方。）

⑶ **beneath** 爲 on 的反義字。

Beneath the cover they found the treasure.
〔他們在蓋子下面（蓋子打開，就在那下面）發現了財寶。〕

We removed the sand, and ***beneath*** this there was a layer of black soil.
（我們將沙子移開，就在那下面有一層黑土。）

【註】日常用語中，用 under 取代 beneath 的情形也很多。

The chicks are ***under*** their mother's wings.（小雞在牠們母親的翅膀下。）

⑷ **down「從上往下」**：表示向下的運動，爲 up 的反義字。

A small passage runs ***down*** the hill towards the city.
（一條小路通往山下，延伸至城市。）

He jumped ***down*** the tree.（他跳下樹。── 動作）
He sits ***under*** the tree.（他坐在樹下。── 位置）

7. **between, among**「在…之間」

⑴ **between**「在二者之間」：夾在當中的意思。

Taichung is ***between*** Taipei and Kaohsiung.（台中在台北和高雄之間。）
A small river runs ***between*** these two villages.（一條小河流經這兩個村莊之間。）

⑵ **among**「在三者或更多之間」：夾雜著的意思。amongst 是文學的和古典的用字。
（參照 p.552）

He is very popular ***among*** his friends.（他在朋友之間很受歡迎。）
He leads a secluded life ***among*** the mountains.（他在山中過著隱居的生活。）

比較 between, among, in 的不同：

Between the two pine trees stands a cherry tree.
〔兩棵松樹間（夾）有一棵櫻桃樹。）

Among the pine trees stands a cherry tree.
〔在松樹之間（雜）有一棵櫻桃樹。〕

In the forest stands a pine tree.（在森林中有一棵松樹。）

in 是指「在森林中」，與森林中的樹木無關。***between, among*** 則是以其中的「樹木」爲對象。

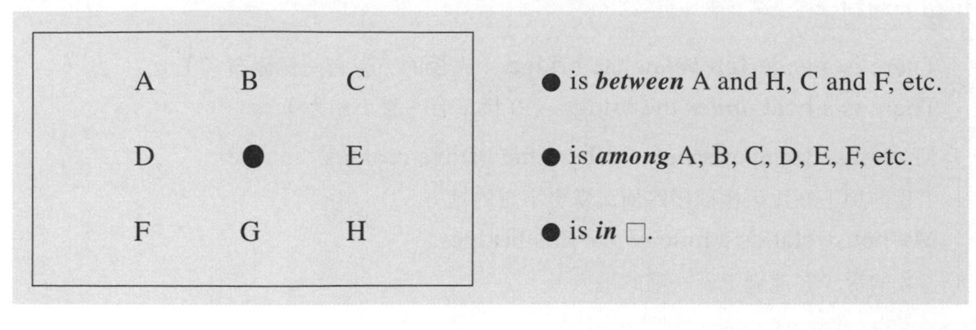

8. **round, around, about**「…的周圍」

⑴ **round; around**「圍繞；在…四周」，在實際的用法上，這兩個字常混用。(參照 p.553)

The moon moves ***round*** the earth.
(月球圍繞地球運轉。)

How much does a trip ***round*** the world cost?
(環遊世界一周要花多少錢？)

Turn ***round*** the corner, and you will see the tower. (繞過了轉角，你就會看到那座塔。)

They sat ***around*** the table.
(他們圍著桌子坐著。)

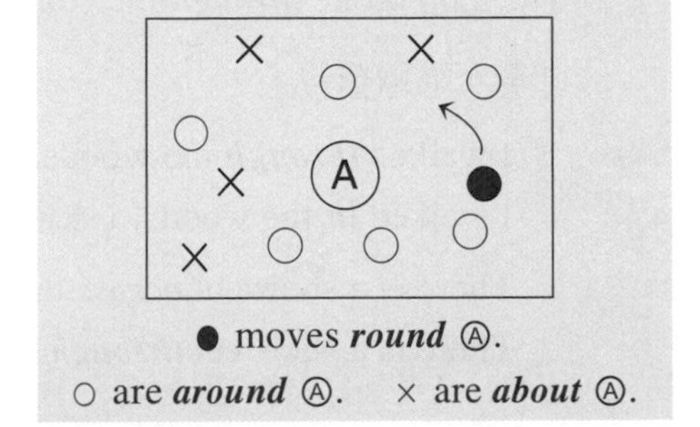

The chief came out, with all his treasures hanging ***around*** his waist.
(酋長出來了，他的腰際周圍垂掛著他所有的寶物。)

He traveled ***around*** the country. (他環遊國內一周。)

She wore a red handkerchief { ***around*** / ***round*** } her neck. (她的脖子圍著一條紅手帕。)

⑵ **about** 表示在某物的周圍或內部作著「**不規則分散**」的運動，另一方面也表示靜止的狀態。

We rowed ***about*** the pond. (我們在池塘中到處划船。)

He lives somewhere ***about*** our school. (他就住在我們學校附近的某處。)

比較 about 和 around 的不同：

{ Books lay ***about*** his desk. (書本散落在他書桌的各處。)
Books were piled up ***around*** his desk. (書本堆放在他書桌的周圍。)

{ They ran ***about*** the tree. (他們在樹的周圍到處跑。)
They ran ***round*** the tree. (他們圍繞著樹的四周跑。)

【註】 about 除了用以表示場所，還可用作其他的解釋。(參照 p.548)
There is something mysterious ***about*** him. (他有著某種神秘性。)

9. **along, across, through** (= from one end to the other end of)

⑴ **along**「沿著」

I walked ***along*** the road. (我沿著那條路走。)

A road runs ***along*** the shore. (一條道路沿著海岸延伸。)

⑵ **across**「橫越」：表示動態；「在…的那一邊」：表示位置。

I walked ***across*** the road. (我橫越馬路。)

I live ***across*** the road. (我住在馬路的那一邊。)

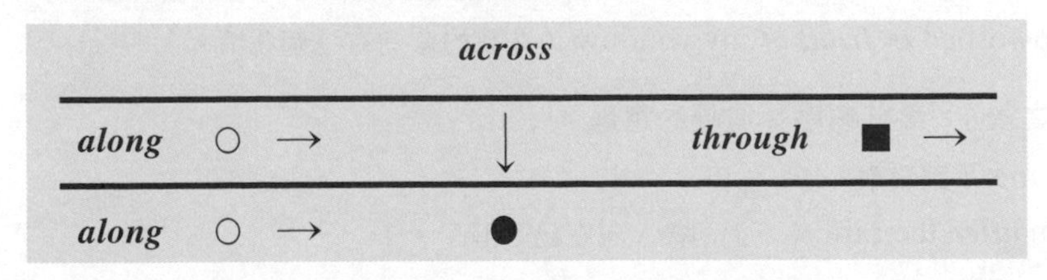

⑶ **through**「從這邊穿到那邊」：表示貫通。

Can you see ***through*** this hole?（你能從這個洞看過去嗎？）

The mob broke ***through*** the front gate.（暴民從前門闖入。）

比較下面兩組句子：

I walked ***through*** the woods.（我穿越森林。）
I walked ***in*** the woods.（我在森林中散步。）

There is a short cut ***across*** the field.（有條捷徑橫過原野。）
There is a short cut ***through*** the field.（有條捷徑穿過原野。）

10. **to, toward, for**「向…」

⑴ **to** 表示運動的目的地、到達點。

He went ***to*** school.（他去學校上學。）

I went ***to*** him.（我去了他那裡。）

⑵ **towards** 只表示「運動方向」，與是否到達無關。

I looked ***toward*** the school.（我朝學校的方向看。── 與是否看到學校無關。）

I went ***toward*** him.（我向他走去。── 與是否去到他所在之處無關。）

The ship sailed ***toward*** the west.（那船航向西方。）

⑶ **for**「向…；往…」與 start, leave 等具出發意味的動詞連用，表示其目的地的方向。

I wanted to go to Tainan, and took the 10 a.m. train ***for*** Kaohsiung.
（我要去台南，所以搭乘上午十點開往高雄的那班火車。）

比較下列各句：

He went ***to*** America.（他到美國去了。）
He went ***toward*** Taipei.（他往台北的方向去了。）
He left ***for*** Japan.（他動身前往日本了。）

11. **before, in front of**「在…之前」
after, behind「在…之後」

⑴ **before**「在…之前」

He sat ***before*** the altar.（他坐在祭壇之前。）

She stood ***before*** him shivering.（她發著抖站在他的面前。）

⑵ **in front of** 單純地表示場所、位置。

He stood ***in front of*** the tree waiting for the girl.（他站在樹前等待著那個女孩。）

There is a flowerbed ***in front of*** my window.（在我的窗前有一個花壇。）

⑶ **after**「在…之後」：含有順序、追趕的意思。

Follow ***after*** me.（跟我來。）

It's now calm ***after*** the rain.（下過雨後，現在已平靜了。）

He who runs ***after*** two hares will catch neither.（追逐二兔者，不得一兔。）
What are you ***after***?（你在追求什麼？）

比較 before 和 after 的不同：

They ran ***before*** these powerful tanks.（他們被強力的坦克車追趕。）
We ran ***after*** the thief.（我們追趕小偷。）

⑷ **behind**「在…的後面」：表示靜止的狀態。

The house stands ***behind*** the church.（那房子在教堂的後面。）
Don't speak ill of a man ***behind*** his back.（不要在他人背後說壞話。）
The table was pushed away ***behind*** the curtain.（那桌子被推到窗簾後面了。）

比較下面兩個句子：

He ran ***behind*** the master, with a heavy bag on his back.
（他背負著重袋，跟在主人後面跑。）
He ran ***after*** the thief with a heavy stick in his hand.（他手持粗棍追趕小偷。）

III. 其他用法的介系詞

1. **of, out of, from**「用…」：表示材料。

⑴ **of** 表示在成品中可見到原材料的性質。

This desk is made ***of*** wood.（這桌子是用木材製成的。— 木製的。）
A huge bridge was built ***of*** iron and steel.（一座巨大的橋是用鐵和鋼建造成的。）

⑵ **out of** 表示材料的 of，原本是 out of 而省略了 out 的形式，二者用法相同。但是，和動詞分離時，通常使用 out of。

Many useful things are made (***out***) ***of*** cotton.（許多有用的東西都是用棉花做成的。）
We make many useful things ***out of*** cotton.【out of 和動詞分離】
（我們用棉花做成許多有用的東西。）

【註】of, out of 的反義字爲 into。

We make cotton ***into*** many useful things.（我們把棉花做成許多有用的東西。）

⑶ **from** 表示在成品中已看不出材料原來的性質。

Alcohol is made ***from*** wood.（酒精是用木材製成的。）
Sake is brewed ***from*** rice.（日本清酒是用稻米釀製的。）

2. **by, with, through**「用…」：表示方法、手段。

⑴ **by**「用…；靠…」

① 與被動語態連用，表示其行爲者。

It was made ***by*** him.（那是他製造的。）
The steam engine was invented ***by*** Watt.（蒸汽機是瓦特發明的。）

② 以 **by, by means of** 表示方法。

I told him ***by*** letter (***by means of*** a letter).（我藉通信告訴他。）
It was sent ***by*** train.（那用火車送去了。）
You can succeed only ***by*** working hard.（只有靠努力工作，你才能成功。）

⑵ **with** 表示工具。

It was made by him ***with*** a knife.（那是他用刀子製成的。）
We see ***with*** our eyes, and hear ***with*** our ears.（我們用眼睛看，用耳朵聽。）

【註】 with 的反義字爲 without，表示「沒有…；不用…」。

It was made ***without*** a knife.（那不是用刀子製成的。）

⑶ **through** 表示間接的手段、方法，作「經由…；由…」解。

We could make this ***through*** your help.（我們靠你的幫助才能做出這個。）
I knew it ***through*** Jack.（我經由傑克而知道那件事。）

3. **by, at, for**「以…」: 表示標準、比率、價格。

⑴ **by** 表示標準（度量、單位等），作「以…計」解。(詳見 p.566)

Eggs are sold ***by*** the dozen.（蛋按打出售。）
People crossed the border ***by*** the thousand.（數以千計的人們越過邊界。）
We hire men ***by*** the day.（我們按日雇人。）

【比較】 They don't work ***by*** day.【by day 不加冠詞，表示「在白天」。詳見 p.566】
（他們白天不工作。）

⑵ **at** 表示比率、單位價格。

They are sold ***at*** (the price of) 50 dollars a dozen.
〔它們每打以五十元（的價格）出售。〕
It runs ***at*** the rate of 20 miles an hour.（它以每小時二十哩的速度前進。）
It is running ***at*** full speed.（它正全速進行中。）

⑶ **for** 表示總價錢。

The house was sold ***for*** $10,000.（這房子以一萬元售出。）
We paid $10,000 ***for*** the house.（我們付了一萬元買這房子。）

4. **except, but, without, besides**：表示除外、附加。(詳見 p.564)

⑴ **except, but**「除…以外」: 表示否定的意思。

I know nothing {***except*** / ***but***} this.（除了這個以外，我什麼都不知道。）

Everybody {***except*** / ***but***} the teacher was glad.（除了老師以外，每一個人都高興。）

(2) **without**「沒有…；無…」

Can you do it ***without*** help from others?（沒有他人的幫助，你能夠做此事嗎？）
Without you, I should be helpless.（如果沒有你，我會很無助。）

(3) **besides**「除了…以外，還…」：表示另外附加的意思。

I know something ***besides*** this.（除了這個以外，我還多少知道一些。）
Everybody, ***besides*** the teacher, was glad.（不但老師，每一個人都很高興。）
I had another room ***besides*** that.（除了那間以外，我還有另一個房間。）

【比較】 Another boy stood there ***beside*** me.
（在我旁邊還站著另一個男孩。）
Another boy stood there ***besides*** me.
（在那裡除了我以外，還站著另一個男孩。）

5. { **above, over**「在…之上」 / **below, under**「在…之下」 } 表示地位、階級的上下。

(1) **above, over** 表示地位、階級在上位的意思。

He is ***above*** me in the army.（他在軍隊中官階高於我。）
The king is ***above*** the subject.（國王在臣民之上。）
Mr. Lin is ***over*** me in the office.（林先生的職位比我高。）
A colonel is ***over*** a lieutenant.（陸軍上校官階高於陸軍中尉。）

(2) **below, under** 表示地位、階級在下位的意思。

I am ***below*** him in social position.（我的社會地位比他低。）
A corporal is ***below*** a captain in rank.（下士階級比上尉低。）
The captain had 12 men ***under*** him.（船長統率十二個部下。）
No one ***under*** a count can hold the post.（伯爵以下的人不能勝任這職位。）

6. { **at, for, from, of** / **over, through, with** } 表示原因、理由。

(1) **at** 表示感覺的原因。（參照 p.557）

I was astonished ***at*** the strange sight.（看到那奇怪的景象，我感到驚訝。）
Everybody was alarmed ***at*** the news.（每個人聽到那消息都感到驚慌。）

(2) **for** 表示內在的、心理的原因。（詳見 p.572）

For this reason the plan was abandoned.（因爲這個理由，計劃被放棄了。）
This island is famous ***for*** its beautiful scenery.
（這座島因其美麗的景色而有名。）
I am very sorry ***for*** your misfortune.（對於你的不幸，我感到很難過。）

(3) **from** 表示原因、動機，作「因爲；由於」解。（參照 p.576）

I am suffering ***from*** a cold.
（我正在患感冒。── 我因感冒而正在受苦。）
Judging ***from*** the appearance of the sky, it will rain tomorrow.
（由天空的樣子來判斷，明天將會下雨。）

(4) **of** 表示情緒上或生病、死亡的原因，常和 afraid, die, sick, tired 等連用。（詳見 p.584）

I am afraid ***of*** being left alone.（我害怕被單獨留下。）
My father died ***of*** cancer.（我父親死於癌症。）

(5) **over** 表示情緒的原因，常和 lament（悲歎）, rejoice（高興）, cry, laugh 等連用。（詳見 p.598）

They lamented ***over*** his death.（他們爲他的死而悲歎。）
We rejoiced ***over*** the victory.（我們因勝利而高興。）

(6) **through** 表示間接的原因。（參照 p.599）

He failed ***through*** his carelessness.（他因爲不小心而失敗了。）
He got ill ***through*** working too hard.（他因爲工作過度而生病。）
Learn to write ***through*** writing.（藉著寫作來學習寫作。）

(7) **with** 表示由外界影響到內心的原因。（參照 p.608）

He is still in bed ***with*** a cold.（他仍然因感冒而躺在床上。）
She could not say a word ***with*** excitement.
（她興奮得說不出話來。）
He trembled ***with*** fear.（他因害怕而顫抖。）

IV. 介系詞的慣用語

1. 與動詞、形容詞結合的介系詞

(1) 動詞 + 介系詞

go
- **by** train, ship, land, sea　搭火車，搭船，由陸路，由海路【by 表方法】
- **to** school, Tokyo　去上學，去東京【to 表到達】
- **on** a trip, journey　去旅行【on 表在旅途中】
- **for** a walk　去散步【for 表目的】

write
- **on** paper　寫在紙上【on 表場所】
- **with** a pen　用筆寫【with 表工具】
- **in** ink　以墨水寫【in 表材料】
- **in** English　寫英語【in 表用語】

speak
- **of** him　提到他【of 表關係】
- **with** him　和他說【with 表共同】
- **to** him　對他說【to 表方向】

look
- **at** the dog　看著狗【at 表著眼點】
- **after** the dog　照顧狗【after 表追趕】
- **for** a dog　尋找狗【for 表探求】
- **like** a dog　看起來像狗【like 表類似】
- **over** the matter　調查這件事【over 表上位】
- **into** the matter　調查這件事【into 表侵入】

die
- **of** cholera　因霍亂而死【of 表直接原因】
- **through** neglect　因疏忽而致死【through 表間接原因】
- **by** violence　由於暴行而死【by 表外界原因】

get
- **out of** the room　自房間出去【out of 表外出】
- **off** a horse　下馬【off 表分離】
- **near** the fire　靠近火【near 表接近】
- **over** a difficulty　克服困難【over 表上位】
- **through** a task　辦完事情【through 表完成】
- **to** the station　到達車站【to 表到達】

call
- **on** a friend　拜訪朋友【on 表依靠】
- **at** his house　拜訪他家【at 表地點】
- **to** a friend　呼叫朋友；召喚朋友【to 表到達】

run
- **after** a dog　追趕狗【after 表追趕】
- **over** a dog　輾過狗【over 表上位】
- **into** a dog　撞上狗【into 表侵入】
- **against** a dog　撞上狗【against 表撞到】

(2) 形容詞＋介系詞

anxious
- **at** the news　聽到消息而感到焦慮【at 表原因】
- **for** the knowledge　渴望知識【for 表欲求】
- **about** him　擔心他【about 表關連】

good
- **at** English　擅長英語【at 表接觸點】
- **to** everybody　對每一個人都很好【to 表關係】
- **for** nothing　沒有用【for 表用途】

(3) 有些同義字或反義字，由於使用的介系詞不同，意思也有所不同。

skillful **in** handwriting 擅長書法（在書法這一領域上）【in 表範圍】
good **at** handwriting 擅長書法（在書法這一方面）【at 表接觸點】

dependent **on** him 依靠他【on 表依靠】
independent **of** him 離開他而獨立【of 表分離】

glad **of** the success 高興成功【of 表原因】
sorry **for** the failure 因爲失敗而難過【for 表原因】

go **to** Tokyo 去東京【to 表到達】
leave **for** Tokyo 動身前往東京【for 表目的】

What is the matter **with** him?（他怎麼了？）
What happened **to** him?（他發生了什麼事？）
What has become **of** him?（不知他後來變成怎樣？）

2. **與其他字結合的介系詞**

(1) 介系詞除了動詞、形容詞之外，還可與各種的字句相結合。

look up to a great man 尊敬偉人
get along with your work 推展你的工作
set fire to a house 放火燒房子
go hand in hand with him 與他攜手並進

(2) 成爲成語的介系詞

介系詞也可與受詞（名詞）結合成爲具有特別意思的成語。通常，此名詞不表示複數，也不加冠詞。

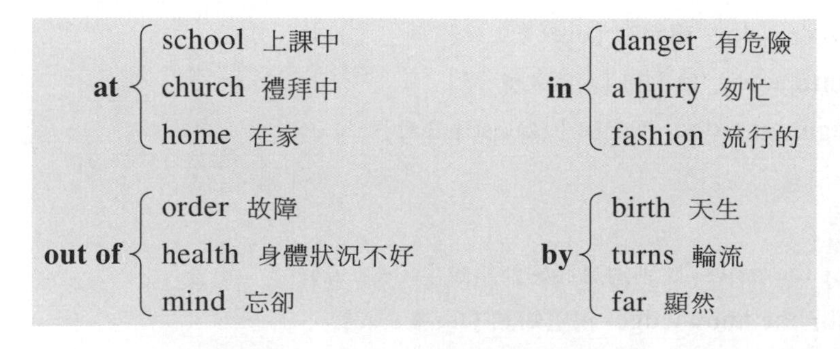

at	school 上課中 church 禮拜中 home 在家	**in**	danger 有危險 a hurry 匆忙 fashion 流行的
out of	order 故障 health 身體狀況不好 mind 忘卻	**by**	birth 天生 turns 輪流 far 顯然

請立刻做　練習一～五

第十一篇　特殊構句

第一章 倒裝句（Inversion）

爲了強調句中的某一部分，或爲了字序上的方便，而將一般敘述句句型的語詞位置變動，所形成的句子稱爲倒裝句。

I. **否定詞放在句首，助動詞或 be 動詞該放在主詞的前面**，即：否定詞 + {助動詞 / be 動詞} + 主詞

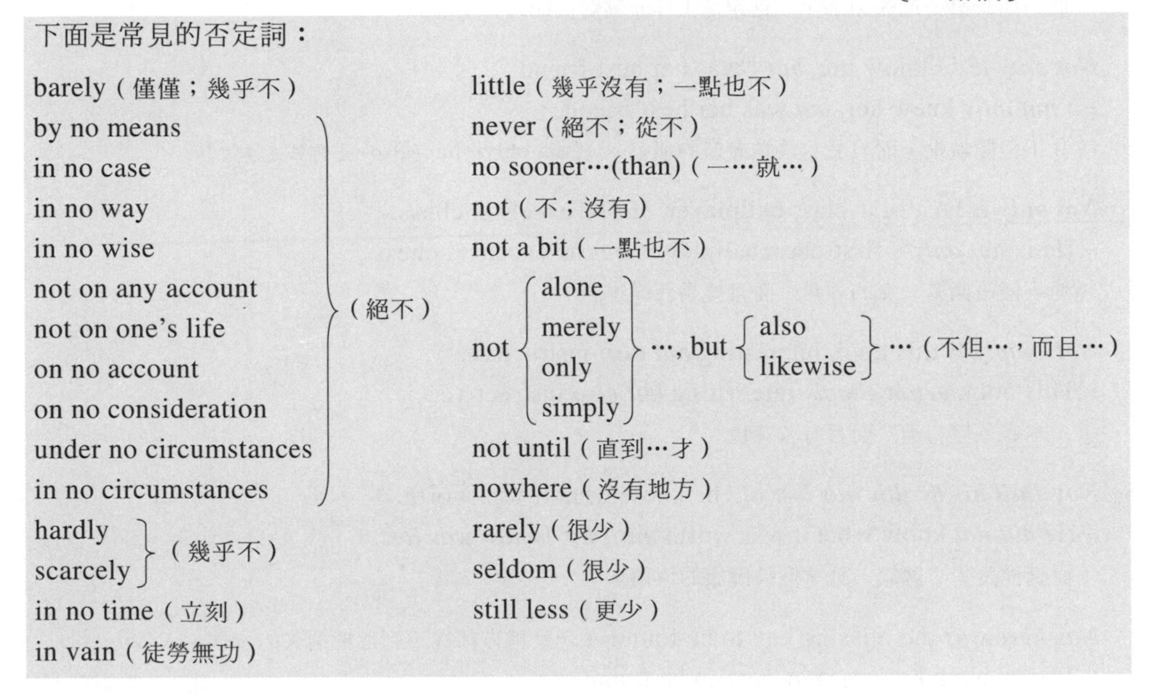

下面是常見的否定詞：

barely（僅僅；幾乎不）

by no means / in no case / in no way / in no wise / not on any account / not on one's life / on no account / on no consideration / under no circumstances / in no circumstances（絕不）

hardly / scarcely（幾乎不）

in no time（立刻）

in vain（徒勞無功）

little（幾乎沒有；一點也不）

never（絕不；從不）

no sooner⋯(than)（一⋯就⋯）

not（不；沒有）

not a bit（一點也不）

not {alone / merely / only / simply} ⋯, but {also / likewise} ⋯（不但⋯，而且⋯）

not until（直到⋯才）

nowhere（沒有地方）

rarely（很少）

seldom（很少）

still less（更少）

Barely *does* he have enough money to live on.（他幾乎沒有足夠的錢維生。）

= He ***barely*** has enough money to live on.

By no means *shall* I meet him halfway.（我絕不跟他妥協。）【強調 by no means】

= I shall ***by no means*** meet him halfway.

Under no circumstances *would* I promise to help him.（我絕不答應幫助他。）

= I would ***not*** promise to help him ***under any circumstances***.

Hardly (*or* ***Scarcely***) *had* he arrived at the station ***when*** the train began to leave.

= He had ***hardly*** arrived at the station ***when*** the train began to leave.

（他一到車站，火車就開動了。）

Little *did* he know that the police were after him.（他一點也不知道警察在追緝他。）

= He ***didn't*** know ***at all*** that the police were after him.

【little 與動詞 know, imagine, think, guess, realize, suspect 連用時，作「一點也不」(= not at all) 解】

***Never in my life** have* I heard or seen such a thing.
= I have ***never*** heard or seen such a thing ***in my life***.
（我生平從未聽過或見過這樣的東西。）

No sooner** had* he arrived at the station ***than the train began to leave.
= He had ***no sooner*** arrived at the station ***than*** the train began to leave.
（他一到車站，火車就開動了。）

Not merely** does* he have a first-class brain, ***but he is a hard worker.
= He ***not merely*** has a first-class brain, ***but*** he is a hard worker.
（他不僅有第一流的頭腦，而且還是工作非常認眞的人。）

Not only** did* I know her, ***but I was her best friend.
= I ***not only*** knew her, ***but*** was her best friend.
（我不但認識她，而且我也是她最好的朋友。）【not only…but (also) 是對等連接詞】

Not only** is* he a first-class ballplayer, ***but he excels at chess.
= He is ***not only*** a first-class ballplayer, ***but*** he excels at chess.
（他不僅是個第一流的球員，而且擅長西洋棋。）

Not simply** is* this book interesting ***but also instructive.
= This book is ***not simply*** interesting ***but also*** instructive.
（這本書不僅有趣，而且有教育性。）

***Not until his health was lost** did* he know what it was worth.
= He ***did not*** know what it was worth ***until his health was lost***.
（直到他喪失了健康，他才懂得健康的價值。）

***Nowhere** was* the missing key to be found.（什麼地方都找不到那把遺失的鑰匙。）
= The missing key was ***nowhere*** to be found.

***Rarely** does* he go to the movies.（他很少看電影。）
= He ***rarely*** goes to the movies.

【註】放在句首的否定詞，如果修飾主詞，則是完全主詞的一部分，所以主詞和助動詞或 be 動詞不須倒裝。scarcely, not 可以修飾動詞或名詞，詳見 p.228。

Scarcely a drop of rain has fallen since last summer.
（從去年夏天以來幾乎沒有下過一滴雨。）
【rain 是核心主詞，Scarcely a drop of rain 是完全主詞】

Not a word was said.（一句話也沒有說。）
【Not 修飾主詞 word，Not a word 是完全主詞，故主詞和動詞不倒裝】

【比較】***Not a word** did* I ever say to him.【a word 隨著 not 放在句首】
= I ***didn't*** ever say ***a word*** to him.（我從未對他說過一句話。）

Ⅱ. **Only + 副詞（片語）或副詞子句放在句首，助動詞或 be 動詞該放在主詞前**，即

Only + { 副詞 / 副詞片語 / 副詞子句 } + { 助動詞 / be } + 主詞

Only ***then*** *did* I take pity on her.（只有在那時候我才同情她。）
= I ***only*** took pity on her ***then***.

Only ***once*** *was* he beaten for his mendacity.（只有一次他因說謊而被打。）
= He was ***only*** beaten ***once*** for his mendacity.

Only ***after the accident*** *did* he have his car inspected.
= He ***only*** had his car inspected ***after the accident***.
（只有在那件意外事件後，他才叫人檢查他的車子。）

Only ***by working hard*** *can* we succeed in doing everything.
= We can ***only*** succeed in doing everything ***by working hard***.
（只有努力工作，我們做每一件事情才能成功。）

Only ***when one loses freedom*** *does* one know its value.
= One ***only*** knows the value of freedom ***when one loses it***.
（只有在一個人失去自由的時候，才知道自由的可貴。）

Only ***when one is away from home*** *does* one realize how nice home is.
= ***Not until one is away from home*** *does* one realize how nice home is.
= One *does* ***not*** realize how nice home is ***until one is away from home***.
（只有在一個人遠離家鄉之時，才知道家是多麼溫暖。）【Only when 可用 Not until 代替】

Ⅲ. **副詞（片語）的倒裝：**

1. 副詞（片語）放在句首時，主詞（名詞）與動詞（不及物）須倒裝，此種用法常常出現在詩歌或小說中。

Next *came* Edward.（下一個來的是愛德華。）
= Edward came next.

Then *came* the greatest treat of all.（接著是最大的一次同樂會。）
= The greatest treat of all then came.

Among the guests *was standing* John.（約翰站在客人當中。）
= John was standing among the guests.

Beyond the river *lives* an old man.（有個老人住在河的那邊。）
= An old man lives beyond the river.

On this *depends* the whole argument.（這是整個論點的依據。）
= The whole argument depends on this.

On his left *sits* his wife, who, dressed in black, is beautiful and pale as wax.
= His wife sits on his left, who, dressed in black, is beautiful and pale as wax.
= His wife sits on his left, dressed in black, beautiful and pale as wax.
（坐在他左邊的是他那穿著黑衣，美麗卻蒼白如蠟的妻子。）

【註】當主詞爲代名詞時，雖然副詞（片語）放在句首，主詞與動詞仍不倒裝。

Then **he left**.（然後他就離開了。）
= He *then* left.

Behind the counter **he stood**.（他站在櫃台後面。）【主詞 he 爲代名詞，故不倒裝】
= He stood *behind the counter*.

2. **表次數的時間副詞片語放在句首加強語氣時，助動詞放在主詞前後均可。**

Twice within my lifetime *have* world wars taken place.
= Twice within my lifetime world wars have taken place.
= World wars have twice taken place within my lifetime.
（在我一生中世界大戰已發生了兩次。）

Many a time *have* I seen that man begging from house to house.
= Many a time I have seen that man begging from house to house.
= I have seen that man begging from house to house many a time.
（我曾多次看到那人挨家挨戶乞討。）

Many a time as a boy *have* I climbed that hill.
= Many a time as a boy I have climbed that hill.
= As a boy I have climbed that hill many a time.
（當我還是個小孩的時候，我爬過那座山丘好幾次。）

Often *have* I heard it said that he is not to be trusted.
= I have often heard it said that he is not to be trusted.
= ***Very often*** I have heard it said that he is not to be trusted.
（我常聽人說他是靠不住的。）
【often 放在句首，而主詞與動詞不倒裝時，前面常用 very 或 quite 來加強】

Often *have* we tried that test.（我們試著做那個試驗好多次了。）
= We have often tried that test.
= ***Quite often*** we have tried that test.

【註】well, so, long 等副詞放在句首表強調時，主詞與助動詞必須倒裝。

Well *did* I know him and ***well*** *did* he know me.
= I knew him well and he knew me well.
（我很了解他，他也很了解我。）

Well *do* I remember your father.（我確實很清楚地記得你的父親。）
= I remember your father well.

So fast *does* light travel that it is difficult for us to imagine its speed.
= Light travels so fast that it is difficult for us to imagine its speed.
（光行進得如此之快，以致於我們很難想像它的速度。）

So bitterly *did* she weep that my heart melted within me.
= She wept so bitterly that my heart melted within me.
（她哭得非常傷心，聽得我心都軟了。）

Long *did* the hours seem while I awaited the departure of the company.
= The hours seemed long while I awaited the departure of the company.
（在我等那群人離開的時刻，時間似乎過得特別慢。）【awaited = waited for】

IV. 副詞子句的倒裝：

1. **狀態與比較子句裡的倒裝：**as 引導表狀態的副詞子句；than 引導表比較的副詞子句。通常如果 as 和 than 所引導的副詞子句的主詞很短則不須倒裝；如果 as 和 than 子句的主詞較長或帶有長的修飾語時則倒裝。

She did not sway from side to side ***as some people do***.
（她不像某些人那樣地搖擺。）
She did not sway from side to side ***as*** *do* ***some people*** *who lose themselves in the intoxication of music*.（她不像某些陶醉在音樂中的人那樣地搖擺。）

I spend less ***than you do***.（我花費得比你少。）
I spend less ***than do nine*** *out of ten people in my position*.
（我花費的，比和我同職位的十分之九的人少。）

2. **原因子句裡的倒裝：**即現在（過去）分詞 + as + 主詞 + { do (does, did) / be 動詞 }，主詞 + 動詞
（詳見 p.530）

Standing as it does on the top of the hill, the house has a full view of the city.
= *As it stands thus on the top of the hill*, the house has a full view of the city.
（那房子因為位於山頂上，可以俯瞰整個城市的全景。）

Situated as I am, I have difficulties to contend against.
= *As I am thus situated*, I have difficulties to contend against.
（因為我處於這種境遇，我有很多困難要應付。）

3. **假設法，條件子句中的倒裝**：即 {Were / Should / Had} + 主詞⋯ = If + 主詞 + {were / should / had} + ⋯
（詳見 p.365）

Were he my friend, I would expect his help.（倘若他是我的朋友，我就會期待他的援助了。）
= *If he were my friend*, I would expect his help.

Should it rain tomorrow, I shall (should) stay indoors.
= *If it should rain tomorrow*, I shall (should) stay indoors.
（如果明天下雨的話，我將留在室內。）

Had he followed my advice, he would have succeeded.
= *If he had followed my advice*, he would have succeeded.
（假若他從前聽我的勸告，他早就成功了。）

4. **讓步子句裡的倒裝**：

(1) {名詞（不帶冠詞）/ 形容詞 / 副　詞 / 動　詞} + as + 主詞 + 動詞, 主詞 + 動詞 （詳見 p.529）

Woman as she is, she is courageous.（她雖然是個女人，卻很勇敢。）
= *Although she is a woman*, she is courageous.

Brave as he is, he trembles at the sight of a snake.
= *Though he is brave*, he trembles at the sight of a snake.
（他雖然勇敢，看到蛇仍然會發抖。）

Hard as he studies, he cannot pass the examination.
= *Although he studies hard*, he cannot pass the examination.
（他雖然非常用功，仍然考試不及格。）

Try as he would, he could not do it well.（他雖然努力，卻無法把它做好。）
= *Although he would try*, he could not do it well.

(2) Be + 主詞 + 主詞補語, 主詞 + 動詞 （詳見 p.530）

Be he king or peasant, he shall be punished.（無論他是國王或農夫，他都必須受處罰。）
= *Let him be king or peasant*, he shall be punished.

(3) Be + 主詞 + ever so + 形容詞 = Be + 名詞 + as + 形容詞 + as + 主詞 + may, 主詞 + 動詞⋯

Be a man ever so rich, he should not sit idle and do nothing.
= ***Be a man as rich as he may***, he should not sit idle and do nothing.
= ***Let a man be ever so rich***, he should not sit idle and do nothing.
= *However rich a man may be*, he should not sit idle and do nothing.
= *No matter how rich a man may be*, he should not sit idle and do nothing.
（無論一個人多麼富有，也不應閒坐而無所事事。）

⑷ 原形動詞 + what may, 主詞 + 動詞（參閱 p.360）

Come what may, we must remain cheerful.
= *No matter what may come*, we must remain cheerful.
（無論發生什麼事，我們都必須保持愉快的心情。）

V. 受詞放在句首的倒裝：有時爲了特別強調受詞，而將受詞放在句首。

下列例句中，每一項的第一個句子較強調受詞部分：

That proposal I accepted.（那項建議我接受了。）
= I accepted *that proposal*.

Whoever opposes me I will crush to pieces!（任何反對我的人，我將把他碎屍萬段！）
= I will crush to pieces *whoever opposes me*!

Every word he spoke to me, I felt as an insult.（他對我所說的每一個字，我認爲都是侮辱。）
= I felt *every word he spoke to me* as an insult.
【feel…as（認爲…是），insult 是受詞補語，倒裝除了強調受詞，還可使受補接近動詞 felt】

What he gave his mind to he mastered.（他所專心的事，他就能精通。）
= He mastered *what he gave his mind to*.

What I am today I owe to my father.（我把我今天的成就歸功於我父親。）
= I owe *what I am today* to my father.

This they do partly for ornament and partly to keep the flies off.
= They do *this* partly for ornament and partly to keep the flies off.
（他們這樣做一半是爲了裝飾，一半是爲了阻止蒼蠅靠近。）

What he said I cannot imagine.（我想像不出他說了些什麼。）
= I cannot imagine *what he said*.

What you cannot afford to buy, do without.（你買不起的東西，就不要。）
= Do without *what you cannot afford to buy*.

What man has done man can do.（人能做前人所做過的事。）
= Man can do *what man has done*.

The stormy sea I do not fear.（我不怕有暴雨的海。）
= I do not fear *the stormy sea*.

What will become of him, no one can tell.（沒有人知道他後來會變成怎樣。）
= No one can tell *what will become of him*.

The past one can know, but ***the future*** one can only feel.
= One can know *the past*, but one can only feel *the future*.
（一個人可以知道過去，但只能感受未來。）

This job he kept six years.（這工作他做了六年。）
= He kept *this job* six years.

What you must do you must do well.（你該做的事情就必須做好。）
= You must do well *what you must do*.

What would happen next, no one could tell.
= No one could tell *what would happen next*.
（接下來會發生什麼事，沒有人知道。）

Then I offered him some money. ***This*** he refused to take.
= Then I offered him some money. He refused to take *this*.
= He refused to take the money I offered him.
（當時我提供一些錢給他。這些錢他拒絕接受。）

The money he brought and put on the floor.（這錢他帶來放在地板上。）
= He brought *the money* and put it on the floor.

A more interesting story I have never heard.
= I have never heard *a more interesting story*.
（我從來沒有聽說過比這個更有趣的故事。）

What they were asked to do in ten days, they finished in two.
= They finished in two days *what they were asked to do in ten days*.
（要求他們在十天內做完的事情，他們兩天就做完了。）

This you learned in Unit 6.（這個你們在第六單元中已學過。）
= You learned *this* in Unit 6.

VI. **補語放在句首的倒裝：**爲了使動詞與核心主詞接近，或強調補語，常把補語放在句首，而主詞與動詞常倒裝，此種用法常出現在詩歌、諺語或小說中。

Happy *is* he *who has a sound mind in a sound body*.

= He *who has a sound mind in a sound body* is happy.

= He is happy *who has a sound mind in a sound body*.
（有健康的身體，又有健全心智的人是幸福的。）

Blessed *are* the pure *in heart*, for they shall see God.

= The pure *in heart* are blessed, for they shall see God.
（心地純潔的人有福了，因爲他們將看見上帝。）

Enclosed *is* a letter *confirming the news.*

= A letter *confirming the news* is enclosed.

（附上一封信確認這個消息。）

Gone *are* the days *when my heart was young and gay.*

= The days *when my heart was young and gay* are gone.

（我那有著年輕快樂心境的日子已經消失了。）

Handsome *is* that（= *he who*）handsome does.（心美貌亦美。）

= He *who does handsomely* is handsome.

【第一個 handsome 是形容詞，第二個 handsome 是副詞作用，代替 handsomely】

Happy *are* those *who are contented.*（知足者常樂。）

= Those *who are contented* are happy.

= The contented are happy.

Many and long *were* the conversations *they held through the prison wall.*

= The conversations *they held through the prison wall* were many and long.

（他們隔著監獄的牆壁談話，次數多，而且時間又長。）

So frightened *was* he *that he could not speak for a long time.*

= He was *so* frightened *that he could not speak for a long time.*

（他非常害怕，以致於久久說不出話來。）

So selfish *does* our life make us.（人生把我們變得如此地自私自利。）

= Our life makes us so selfish.

Ⅶ. 主詞修飾語的倒裝：

當主詞修飾語太長時，爲了使核心主詞和動詞接近，而把修飾主詞的同位語或形容詞子句，或長的形容詞片語移到動詞之後。

The problem arises ***whether the temperature is high enough***.【正】
S　*v.i.*　名詞子句做 problem 的同位語

（溫度是否夠高的問題發生了。）

【把 whether…移到動詞後，爲了使核心主詞 problem 和動詞 arises 接近】

The problem *whether the temperature is high enough* arises.【劣】
S　*v.i.*

【whether 所引導的子句太長，使得核心主詞 problem 離動詞 arises 太遠】

A rumor circulated ***that he was secretly engaged to the Marchioness***.【正】
S v.i. 名詞子句做 rumor 的同位語
（他和女侯爵秘密訂婚的謠言四處流傳。）
【把 that…移到動詞之後，為了使核心主詞 rumor 和動詞 circulated 接近】

A rumor *that he was secretly engaged to the Marchioness* circulated.【劣】
S v.i.
【that 所引導的子句太長，使得核心主詞 rumor 離動詞 circulated 太遠】

The box was by the door ***which had contained the papers and other valuables***.
（裝著文件與其他貴重物品的箱子就在門邊。）
【把 which…移到動詞之後，為了使 box 和 was 接近】

I am sure the time will come ***when you will understand what I said***.
S v.i.
（我確信有一天你會明白我所說的話。）
【the time…是名詞子句，做 I am sure 後所省略介詞的受詞（參閱 p.481），the time 是子句的主詞，把 when…移到 will come 的後面，為了使 the time 與 will come 接近】

The time had come ***to decorate the house for Christmas***.
（為聖誕節而裝飾房屋的時候到了。）
【把 had come 移到 to decorate…之前，為了使 The time 與 had come 接近】

The time had come ***for the parting words to be spoken over the dead***.
（向死者道別的時候來臨了。）
【把 had come 移到 for the parting…之前，為了使 The time 和 had come 接近】

He is a fool ***who cannot be angry***, but he is a wise man ***who will not***.【正】
= He *who cannot be angry* is a fool, but he *who will not* is a wise man.【正】
（不能怒之人為愚人，不欲怒之人為智者。）
【who cannot be angry 和 is a fool 長度差不多，故倒裝或不倒裝皆可】

All are not saints ***that go to church***.【正】（到教堂做禮拜者，並非全是聖徒。）
= All *that go to church* are not saints.【正】
【that go to church 和 are not saints 長度差不多，故倒裝或不倒裝皆可】

VIII. **動詞修飾語的倒裝：受詞較長時，修飾動詞的副詞（片語）必須移到受詞之前**，即及物動詞與長受詞之間可有副詞（片語）。

受詞長的情況有：受詞為名詞子句、受詞帶有形容詞子句修飾，及受詞有形容詞片語修飾時。

A pretty waitress wore a scarf ***around her neck***.【正】
（一位漂亮的女服務生在脖子上圍了一條圍巾。）【受詞短，副詞片語該放在受詞後】
A pretty waitress wore a scarf *which hung down to her waist* ***around her neck***.【誤】
【副詞片語 around her neck 離動詞 wore 太遠，無法修飾，可修飾 hung，但句意不合理】

A pretty waitress wore ***around her neck*** a scarf *which hung down to her waist*.【正】
v.t.　受詞
（一位漂亮的女服務生在脖子上圍了一條垂到腰際的圍巾。）【及物動詞和長受詞間可有副詞片語】

He was unable to get his meaning ***across to her***.【正】
（他無法將他的意思向她表達。）【get sth. across to sb. 使某人明白某事】
He was unable to get what he really meant ***across to her***.【誤】
【across to her 離 get 太遠，只能修飾 meant，但句意不合理】

He was unable to get ***across to her*** what he really meant.【正】
v.t.　— 名詞子句做 get 的受詞 —
（他無法向她表達他真正的意思。）

I explained this matter ***to him***.【正】（我向他解釋這件事。）
I explained my difficulty of doing it *to him*.【誤】
【to him 離動詞 explained 太遠，只能修飾 doing，但句意不合理】

I explained ***to him*** my difficulty *of doing it*.【正】（我向他解釋我做這件事的困難。）
v.t.　受詞

He told me ***in detail*** how they overcame all the difficulties.
— 名詞子句做 told 的直接受詞 —
（他詳細告訴我，他們是如何克服一切困難的。）

He threw ***into the lake*** the fish *which his brother had caught*.
v.t.　受詞
（他把弟弟捉的一條魚丟進湖裡去了。）

【註】從下面兩個句子可以很清楚地看出，副詞片語是修飾最接近的動詞：

She expressed ***to her husband*** her conviction *that economy was essential*.
受詞
（她向她先生說明她堅信節約是必要的。）【to her husband 修飾動詞 expressed】

She expressed her conviction *that economy was essential* ***to her husband***.
（她表示堅信節約對她先生是必要的。）【to her husband 修飾動詞 was】

IX. 受詞補語的倒裝：

受詞補語的位置本來在受詞之後，當受詞長時，爲了使動詞與受詞補語接近，將受詞補語移到受詞之前，形成「主詞 + 動詞 + **補語** + **長受詞**」的情況。造成受詞補語的情況是因爲動詞不完全，使句意不全，必須對動詞加以說明，故將補語放在最接近動詞的位置。有些文法家強調稱之爲「受格補語」而不稱「受詞補語」，即強調補語是補動詞意思的不足。

He ***made*** his meaning ***clear***.【受詞 his meaning 較短，故不須與受詞補語 clear 倒裝】
完全受詞 受補
（他把他的意思說清楚。）

He ***made*** his strong objection to the proposals *clear*.【誤】
【受詞太長，使動詞 made 和受詞補語 clear 離太遠】

He ***made clear*** his strong objection to the proposals.【正】（他表明他對這些提議強烈的反對。）
受補 完 全 受 詞
【把 clear 移到受詞的前面，爲了使動詞與受詞補語接近】

He ***pushed open*** all the doors that had been locked by the owner.【正】
受補
（他把所有被屋主鎖起來的門都推開。）【把 open 移到受詞之前，使動詞與補語接近】

He ***pushed*** all the doors that had been locked by the owner *open*.【誤】
【因爲受詞太長，使動詞與補語 open 離太遠】

He ***considers impossible*** what is really possible.【正】（本來可能的事，他認爲不可能。）
【把 impossible 移到受詞之前，爲了使動詞與受詞補語接近，因 what, who, when 等，不得用 it 代替其所引導的名詞子句】

He ***considers*** what is really possible *impossible*.【誤】
【受詞 what… 太長，使 considers 和補語 impossible 離太遠；且補語不得直接放在名詞子句的後面。參照 p.480 註 3】

They ***saw repairing the machine*** two workers who designed it.【正】
分詞片語做受詞補語

= They ***saw*** two workers who designed it ***repairing the machine***.【正】
（他們看到兩位設計這個機器的工人在修理這台機器。）
【受詞和受詞補語長度差不多，故倒裝或不倒裝皆可】

【註】如果受詞是不定詞、動名詞，或由 that 和 whether 所引導的名詞子句，又有受詞補語時，該用 it 代替這類長受詞。（參照 p.114）

I had ***made* it *clear*** whether I am to go or not.【正】（我已說明了我去或是不去。）

I had ***made*** whether I am to go or not *clear*.【誤】
【補語 clear 離 made 太遠，不易說明，且補語不可直接放在名詞子句的後面。參照 p.480 註 3】

※ 在 p.24，引導名詞子句的八種連接詞中，除了 that 和 whether 之外，其他六種連接詞所引導的名詞子句皆不可用 it 代替。

X. of 片語的倒裝：

修飾主詞的 of 片語太長時，爲了使核心主詞與動詞接近，可把 of 片語移到句首或句尾，當 of 片語放在句首時，語氣比放在句尾時強。

Of the original one hundred men, only fifty came back.【of 片語放在句首加強語氣】
= Only fifty came back ***of the original one hundred men***.
= Only fifty *of the original one hundred men* came back.
（在原來的一百人當中，只有五十人回來。）

Of how to raise the money, the question was put to us.
= The question was put to us ***of how to raise the money***.
= The question *of how to raise the money* was put to us.
（如何募款的問題落到我們的身上了。）

【註】有時爲了加強語氣，修飾補語的 of 片語也可移到句首。

Of all moving mechanisms, the ship is perhaps the most fascinating.
【加強 of 片語的語氣】
= The ship is perhaps the most fascinating *of all moving mechanisms*.【通常的語氣】
（在所有能動的機械中，船大概是最吸引人的吧。）

XI. 祈願句的倒裝： { May + 主詞 + 動詞！ / Long live + 主詞！ } （參照 p.368）

May you succeed!（祝你成功！）
= *I hope you succeed!*

May God bless you!（願上帝祝福你！）
= *I hope God blesses you!*

Long live the Republic of China!（中華民國萬歲！）
= *May the Republic of China live long!*

Long live the king!（國王萬歲！）
= *May the king live long!*

XII. 感嘆句的倒裝：有一種感嘆句是由介副詞放在句首而成。若主詞是名詞，則須將動詞放在主詞之前；若主詞爲代名詞，則仍依「主詞 + 動詞」的順序。

1. **介副詞 + 動詞 + 主詞（名詞）**

感嘆句：***Away flies the bird!***（鳥飛走了！）
敘述句：The bird flies away.

感嘆句：***Out came George!***（喬治出來了！）
敘述句：George came out.

感嘆句：***Off went John!***（約翰去了！）
敘述句：John went off.

感嘆句：***Down went the big ship!***（大船沉沒了！）
敘述句：The big ship went down.

2. **介副詞＋主詞（代名詞）＋動詞**

感嘆句：***Away it flew!***（它飛走了！）
敘述句：It flew away.

感嘆句：***Off they went!***（他們走掉了！）
敘述句：They went off.

感嘆句：***Out it comes!***（它出來了！）
敘述句：It comes out.

感嘆句：***Over it turns!***（它翻過來了！）
敘述句：It turns over.

感嘆句：***Up he jumped!***（他跳起來了！）
敘述句：He jumped up.

【註 1】下列句子是省略了動詞，以 with 代替，是一種不用動詞的命令句，此處 with 含有「帶著」之意。(並非所有的祈使句都用驚嘆號，如溫和的祈使句之後就用句點。)

Away with them!（把它們拿走！）
= Take them away.

Down with it!（撕下它！）
= Take it down.

In with you!（你進來！）
= Get in.

Off with your caps!（脫掉你們的帽子！）
= Take off your caps!

On with your clothes!（穿上你的衣服！）
= Put on your clothes!

Out with it!（說出來！）
= Speak it out! (Speak!)

Up with the box!（拿起那箱子！）
= Pick up the box.

【註 2】here, there 放在句首時，也形成一種感嘆句，此時主詞和動詞的位置與介副詞放在句首時相同。(參照 p.250)

Here comes **the train**!（火車來了！）【主詞是名詞，須倒裝】
Here **it** comes!（它來了！）【主詞是代名詞，不須倒裝】

There goes **the last bus**!（最後一班公車開走了！）
There **it** goes!（它走了！）

XIII. **nor**, **neither**, **so 用於句首時，主詞與助動詞須倒裝**。nor 和 neither 用於否定句，表示「也不；也沒有」；so 用於肯定句，表示「也」。

I can't swim, ***nor*** *can* he.（我不會游泳，他也不會。）
= I can't swim, and he *can't*, *either*.
A: I can't swim.（我不會游泳。）
B: ***Nor*** *can* I.（我也不會。）

I have not yet done my homework and ***neither*** *has* my friend.
（我還未做完功課，我的朋友也是。）
= I have not yet done my homework, and my friend *hasn't*, *either*.
A: I don't think he is right.（我認爲他不對。）
B: ***Neither*** *do* I.（我也是。）

You are fond of fishing, and ***so*** *am* I.（你喜歡釣魚，我也是。）
= You are fond of fishing, and I *am*, *too*.
A: I must be going.（我必須走了。）
B: ***So*** *must* I.（我也必須走了。）

【註】「So + 代名詞 + 助動詞或 be 動詞」表贊同。(參照 p.255)

A: Tom is a very honest boy.（湯姆是個非常誠實的男孩。）
B: ***So he is***. (= Yes, that's right. He is very honest.)【He = Tom】
（是的，他是。── 即 他是非常誠實。）

XIV. **直接引句後主詞與動詞的倒裝**：引導直接引句的主詞和動詞放在句中或句末時，倒裝或不倒裝均可，但是含有助動詞時，常不倒裝。

"Would you," ***asked Paul*** (*or* ***Paul asked***), "like to go back to the hotel?"
(「你想回旅館去嗎？」保羅問道。)
"Would you like to go back to the hotel?" ***asked Paul*** (*or* ***Paul asked***).

"No, sir," ***replied the boy*** (*or* ***the boy replied***), "I can't."
(「不，先生，」那男孩回答道，「我不能。」)
"No, sir, I can't," ***replied the boy*** (*or* ***the boy replied***).

"Well," ***he said*** (*or* ***said he***), "what news, John?" (「嗯，」他說，「什麼消息，約翰？」)
"That's what I mean," ***said she*** (*or* ***she said***). (「我就是那個意思，」她說。)
"I am hungry," ***she had said***. (「我餓了。」她說。)【有助動詞 had，不可倒裝】

請立刻做　練習六

第二章 省略句（Ellipsis）

爲了使句子前後的句意更能密合或爲避免重複，而將前面或後面已出現過的字詞省略，或因習慣上的用法而省略部分字詞，所形成的句子稱爲省略句。

I. 主詞的省略：

1. 對話或口語中句意明確時，主詞常省略。

“What did you do with my book?”（「你如何處理我的書？」）
“(*I*) Gave it to the librarian.”（「把它送給圖書館員了。」）

(***You***) Had a good time?（玩得愉快嗎？）

【說 (***You***) Have a good time? 也可以，源自 Did you have a good time?】

(***It***) Doesn’t matter.（沒關係。）

(***I***) Told you so.（告訴過你了。）

(***I***) Thank you.（謝謝你。）

(***I***) Beg your pardon!（請原諒！）

(***God***) Bless you!（上帝保佑你！）

2. 命令句主詞 “you” 常省略。

(***You***) Open the window.（開窗。）

(***You***) Come here!（過來！）

(***You***) Turn off the light!（把燈關掉！）

3. 日記文中常省略主詞 “I” 和表天氣的 “it”。

(***It***) Rained till evening.（下雨下到傍晚。）

(***I***) Went to school as usual.（和往常一樣去上學。）

4. 商業用語中主詞常省略。

(***We***) Received yours of the 16th January.（一月十六日的來信已收到。）

(***We***) Supply Honest Goods at Honest Prices.（貨眞價實。）

II. 動詞的省略：

1. 動詞爲避免重複常省略。

Some people go to the mountain, others (***go***) to the seaside.
（有些人到山上去，有些人到海邊去。）

The sun shines in the daytime, and the moon (***shines***) at night.
（太陽白天照耀，月亮晚上照耀。）

He can play baseball, and I (***can play***) tennis.（他能打棒球，而我能打網球。）

2. 在表示比較的副詞子句中動詞可省略。

He is taller than I (***am***).（他比我高。）

I have never met anyone cleverer than you (***are***).（我從未碰到過任何比你聰明的人。）

3. **在疑問句的回答中本動詞多省略。**

"Was he killed?" (「他被殺死了嗎？」)
"Yes, he was (***killed***)." (「是的，他被殺死了。」)

"Can Sophia swim?" (「蘇菲亞會游泳嗎？」)
"No, she can't (***swim***)." (「不，她不會。」)

4. **附加問句中的動詞常省略。**

She cried last night, didn't she (***cry***)? (她昨晚哭了，不是嗎？)
He wasn't killed, was he (***killed***)? (他沒有被殺死，有嗎？)

5. **在疑問句裡起頭的 be 動詞和助動詞在口語中常被省略。**

(***Are***) You hungry? (你餓嗎？)
(***Is***) Anybody here? (有人在嗎？)
(***Does***) Anybody need a lift? (有人需要搭便車嗎？)
(***Did***) You have a good time? (你玩得愉快嗎？)

6. **在下列句中的動詞習慣上被省略。**

No bones (***are***) broken! (骨頭沒斷！)
(***May***) Evil (***be***) to him who evil thinks! (願惡魔找上想做壞事的人！)
Happy (***is***) the man who wins her. (那個得到她的人很快樂。)
He had to do so, whatever the consequences (***might be***). (不論後果如何，他必須如此做。)

III. 主詞與動詞的省略：

1. **對話中，多省略主詞和動詞。**

"Who is that fellow?" (「那個傢伙是誰？」)
"(***He is***) My brother." (「我哥哥。」)

"Thank you very much indeed." (「眞的非常感謝你。」)
"(***I am***) Glad to have been of help." (「能對你有所幫助我很高興。」)

2. 在從屬連接詞 if, when, while, though, as, than, unless 等所引導的子句中，句意明確時可省略主詞和 be 動詞。

I'll go, *if* (***it is***) necessary. (如果有必要，我就去。)
When (***he was***) asked his opinion, he remained silent.
(當問到他的意見時，他默不作聲。)
The coach was stopped by highwaymen, *while* (***it was***) passing through a forest.
(當馬車經過一座森林時，被一夥強盜攔了下來。)
As (***he was***) a child, he lived in America. (他小時候住在美國。)

【註】 as 和 than 後有副詞子句時，常省略主詞和動詞。

You are a little fatter **than** (***you were***) when I saw you last.
(你現在比我上次見你時更胖一點。)

3. **感嘆句中主詞與動詞句意明確時，常省略。**

What a beautiful sight (***it is***)! (多美的景色！)
Oh, (***how I wish***) that you could be with us!
(我多麼希望你能和我們在一起！)

4. **在下列句中的主詞與動詞習慣上被省略。**

Why (***should we***) not let him go? (爲什麼不讓他走？)
【why not + 原形動詞是 why should we not + 原形動詞的省略】
No man, however great (***he might be***), was ever so free as a fish.
(人不論多偉大，也沒有像魚那樣自由。)【此類句子的代名詞，須連同動詞一併省略】

IV. **主要子句的省略**，表示願望的假設法常省略部分或全部主要子句。(參照 p.367, 375)

(***It is a pity***) That such a noble man should die! (眞可惜那麼高貴的人竟然死了！)
If he would come (*I should be very glad*)! (如果他願意來，那就好了！)【句意重複，應省略】
(***He looks***) As if he didn't know. (他好像不知道。)
(*How glad I should be*) If I could do so. (但願我能如此做。)【句意重複，應省略】
If I could only see her again (***how happy I should be***)!
(我要是能再見她一面就好了！)
What (***would happen***) if you should become sick? (你萬一生病該怎麼辦？)

V. **從屬子句的省略**，假設法的 if 子句在句意明確時可省略。

I might have been a rich man. 〔(如果我想要的話) 我很可能就成爲有錢人。〕【條件子句省略】
= I might have been a rich man, ***if I had wanted to***.
I should like to go (***if I could***).【條件子句省略】
〔(倘若我能夠的話) 我很願意去。〕

【註】 在對話中常用 so 或 not 代替省略的從屬子句，so 代替省略的肯定句，not 代替省略的否定句。兩者都有代名詞的作用。

"Will it rain tomorrow?" (「明天會下雨嗎？」)
"I'm afraid ***not***." (「恐怕不會。」)
(= I'm afraid that *it will **not** rain tomorrow*.)

"The new teacher is very strict." (「這位新老師很嚴格。」)
"I don't think ***so***." (「我並不認爲他是嚴格的。」)
(= I don't think *that he is very strict*.)

VI. **標語、公告、廣告、電報等爲求簡單明瞭而省略部分詞句。**

(***Keep your***) Hands off. (請勿動手。)
(***The store is***) Closed for today. (本日休業。)
(***This is***) Not for sale. (非賣品。)
(***We have***) Agreed. (同意了。)

VII. 諺語、格言和習慣用語中常省略部分語詞。

Spare the rod, and (***you will***) spoil the child.（不打不成器。）
= If you spare the rod, you will spoil the child.
(***When one is***) Out of sight, (***one is***) out of mind.（離久情疏。）
(***It is***) Well done!（做得好！）
(***Give me***) Your name card, please.（請給我名片。）
(***I wish you a***) Good morning.（早安。）

VIII. 各詞類的省略：

1. 名詞的省略：

Two heads are better than one (***head***).（集思廣益。）【省略與前面重複的名詞】
He is fifteen (***years of age*** or ***years old***).（他十五歲。）【數詞後的名詞習慣上的省略】
Come at seven (***o'clock***) tomorrow morning.【數詞後的名詞習慣上的省略】
（明天早上七點鐘來。）
She breathed her last (***breath***) last night.【形容詞後面的名詞句意明確時常省略】
（她昨晚斷氣了。）
I went to the barber's (***shop***).（我去理髮店。）【所有格後面的名詞省略】

2. 代名詞的省略：在一些諺語中，形容詞子句的先行詞被省略掉。（參照 p.155）

(***He***) Who breaks pays.（打破的人要賠。）

(***Those***) Whom the gods love die young.（神所喜愛的人會短命。— 好人不長壽。）

3. 關係代名詞的省略：

⑴ 當主詞的關係代名詞在 there is, it is, here is, this is, who is 等所引導的句子之後可省略。

Here is somebody (***who***) wants to see you.（這裡有人要見你。）
There's someone at the door (***who***) wants to see you.（門口有人想見你。）

⑵ 當受格的關係代名詞常省略。

Here is the book (***which***) you wanted.【which 做動詞 wanted 的受詞】
（這是你要的那本書。）
The girl (***whom***) you spoke to is a well-known singer.【whom 做介詞 to 的受詞】
= The girl to whom you spoke is a well-known singer.
（你對她說話的那個女孩，是一個著名的歌手。）【介詞 to 放在 whom 之前時 whom 不可省略】

⑶ 做主詞補語的關係代名詞可省略。（參照 p.155）

He is not the honest boy (***that***) he used to be.（他已不是以前誠實的他了。）
I am not the fool (***that***) you thought me to be.
（我現在不是你以前所認爲的傻瓜了。）

4. **形容詞的省略：**

I am not so young as I was (***young***).（我現在已不如以往年輕。）【省略與前面重複的形容詞】
Self-reliance is as important in thought as it is (***important***) in action.
（獨立自主在思想上重要，在行動上也一樣重要。）【省略與前面重複的形容詞】

5. **分詞的省略：**分詞 being 和 having been 當其前面無主詞或名詞爲其意義上的主詞時常省略；當其前面是代名詞時，通常不省略。

(***Being***) Hungry for knowledge, they studied hard.（因他們渴求知識，所以用功讀書。）
= As they were hungry for knowledge, they studied hard.

Breakfast (***being***) over, he went out for a walk.【Breakfast 是名詞，故 being 可省略】
= When breakfast was over, he went out for a walk.
（吃完早餐，他就出去散步。）

Our homework (***having been***) done, we went out for a walk.
= As our homework had been done, we went out for a walk.
（當我們把功課做完之後，就出去散步了。）
【homework 是名詞，故 having been 可省略】

He ***being*** away, she was alone at home.【He 是代名詞，故 being 通常不省略】
= When he was away, she was alone at home.
（他出去時，她單獨在家。）

6. **不定詞的省略：**

(1) 爲避免重複可省略。

A: Will you go with us today?（你今天要跟我們一起去嗎？）
B: I'll do my best (***to go***).（我會盡力而爲。）

(2) 在 like, want, order 等動詞的受詞後面，通常省略 to be。

I don't like such subjects (***to be***) discussed.（我不喜歡這類的題目被討論。）
I want this work (***to be***) finished quickly.
（我想要趕快把這個工作完成。）

(3) all (what, the only thing, the best, the first thing 等) + one has to do is (was) 時，is (was) 之後的不定詞 to 可有可無。

I suppose that all I have to do is (***to***) go downstairs.
（我認爲，我所必須做的就是下樓。）
What I have to do is (***to***) go there.（我必須做的，就是去那裡。）

【註】若將不定詞片語放在句首倒裝時，則 to 必須省略。

All I did was (***to***) turn off the gas.（我只是關掉瓦斯。）
= Turn off the gas was all I did.

7. **冠詞的省略**：（參照 p.221）

A doctor and (***a***) nurse were provided for them.（提供給他們一位醫生和一位護士。）
【醫生和護士顯然是兩個人，所以可省略一個冠詞以避免重複】

The editor and publisher of this magazine is a very able man.
（這雜誌的編輯兼發行人是一位非常能幹的人。）【The editor and publisher 指同一人】

The editor and ***the*** publisher of this magazine are very able men.
（這雜誌的編輯與發行人都是非常能幹的人。）【The editor and the publisher 分別指不同的二人】

He is not (***a***) philosopher enough to judge of this.
（他並沒有哲學家般的睿智去判斷這件事。）【enough 前的名詞常因抽象化而不加冠詞】

8. **連接詞的省略**：

⑴ that 的省略：（參閱 p.479）

We all know (***that***) he once lived here.【that 子句做受詞時，that 常省略】
（我們都知道他曾住過這裡。）

I think (***that***) he is dead.（我以爲他死了。）【that 子句做受詞時，that 常省略】

It was so hot (***that***) I couldn't sleep.（天氣熱得我睡不著。）
【so…that 中的 that 後面的字群不太長時，that 可省略】

【註】引導補語子句的 that 原則上不可省略，但 the fact is 或 the truth is 之後有逗點（,）時不使用 that。比較下列兩個例句：

The fact is ***that*** they are not on good terms.（事實就是他們不和睦。）

"Why did you not come?"（「你爲何沒來？」）

"***The fact*** (or ***The fact of the matter***) is, I was ill."（「事實上是因爲我生病了。」）

⑵ 其他連接詞的省略：

He is as tall (***as***), if not taller than you.【二次比較的第一個連接詞可省可留】
（他即使沒有比你高，也和你一樣高。）

Some agreed with him, (***and***) others did not.【and 在 some…other 句中可省略】
（有些人同意他，有些則不同意。）

To some life is pleasure, (***and***) to others (***life is***) suffering.
（對某些人來說，人生是快樂的，而對另外一些人來說，人生是痛苦的。）

9. **介詞的省略**：（參閱 p.100, 546 介詞的省略）

It stands (***at the***) back of the pole.（它在柱子的後面。）
He doesn't play (***in***) the way I do.（他沒有照我的方法玩。）
He wasn't (***at***) home when I called.（我打電話給他時，他不在家。）
She came (***at***) full speed.（她以全速過來。）
She looked out (***of***) the window.（她朝窗外望。）

請立刻做　練習七～八

第三章 插入語（Parenthesis）

在句子的中間或末尾，插入其他的單字、片語、子句或句子，用來修飾、說明或連接，這插入的部分稱爲插入語。**插入語前後所用的標點，一般最普遍的是逗點，其次爲破折號，括弧最少用**，通常三種標點可互用，而句意不變。有時插入語的前後不用標點。

We are, ***I believe***, one of the advanced nations.【用逗點隔開】
We are — ***I believe*** — one of the advanced nations.【用破折號隔開】
We are (***I believe***) one of the advanced nations.【用括弧隔開】
（我相信我們是一個先進的國家。）

This boy, ***who lives on the next street***, broke a window.
This boy — ***who lives on the next street*** — broke a window.
This boy (***who lives on the next street***) broke a window.
（這男孩打破了一塊窗玻璃，他是住在隔壁街。）

I'm the man *who* ***you thought*** *was dead*.【不用標點】
（我就是你以爲已經死了的那個人。）

He has much of ***what is called*** tact.（他具有許多所謂的機智。）

I. 主要子句的插入：

如：I am (we are) told, I believe, I feel confident, I find, I guess, I hear, I imagine, I (we) know, I remember, I say, I suppose, I think, I trust, I understand, we may assume（我們可以假定）, we have learned 等插入語**可放在句中或句尾，可當作全句的主要子句來看**，插入語以外的部分，等於這主要子句的受詞；如果插入語含有形式主詞 it，如：it has often been said, it is said, it is true, it seems (seemed) 等，則插入語以外的部分是做這主要子句的眞正主詞。

Science is, ***I believe***, nothing but trained and organized common sense.【插入語可放在句中】
= Science is nothing but trained and organized common sense, ***I believe***.【插入語可放在句尾】
= ***I believe*** (*that*) science is nothing but trained and organized common sense.
（我相信科學只是經過訓練和組織的常識。）
【I believe 是實際上的主要子句，原句 science is…爲其受詞】

Sincerity, ***I think***, is better than grace.（我認爲誠懇勝於優雅。）
= Sincerity is better than grace, ***I think***.
= ***I think*** (*that*) sincerity is better than grace.

History, ***we know***, is apt to repeat itself.（我們知道歷史往往會重演。）
= History is apt to repeat itself, ***we know***.
= ***We know*** (*that*) history is apt to repeat itself.

It was fortunate, ***he thought***, that the rain had stopped.（他想幸好雨停了。）
= It was fortunate that the rain had stopped, ***he thought***.
= ***He thought*** (*that*) it was fortunate that the rain had stopped.

I shall finish it, ***I hope***, by the end of the week.
= I shall finish it by the end of the week, ***I hope***.
= ***I hope*** (*that*) I shall finish it by the end of the week.
（我希望我能在這星期結束前完成它。）

Mr. Jones, ***I understand***, is a multimillionaire.（我知道瓊斯先生是一個大富翁。）
= Mr. Jones is a multimillionaire, ***I understand***.
= ***I understand*** (*that*) Mr. Jones is a multimillionaire.

He is, ***I hear***, a great scholar.（我聽說他是個偉大的學者。）
= He is a great scholar, ***I hear***.
= ***I hear*** (*that*) he is a great scholar.

This, ***he told her***, was the end.（他告訴她這就是結尾。）
= This was the end, ***he told her***.
= ***He told her*** (*that*) this was the end.

Two other persons, ***it is said***, had already accomplished a similar feat.
= Two other persons had already accomplished a similar feat, ***it is said***.
= ***It is said*** *that* two other persons had already accomplished a similar feat.
（據說另外兩個人早已經完成了同樣的壯舉。）【that 所引導的名詞子句是全句的眞正主詞】

Her mother, ***it seems***, is over fifty.（她的母親好像過了五十歲。）
= Her mother is over fifty, ***it seems***.
= ***It seems*** *that* her mother is over fifty.

Great men, ***it is true***, are sometimes very careless about their appearance.
= Great men are sometimes very careless about their appearance, ***it is true***.
= ***It is true*** *that* great men are sometimes very careless about their appearance.
（偉人對於他們的外表，有時確實是非常不注意。）

【註】主要子句插入時，也有不用標點的情形，通常挿在關係代名詞或疑問詞與動詞之間。
（詳見 p.163）

On the bus I saw a student *who **I thought** was your brother*.
（我在公車上看見一個我認爲是你弟弟的學生。）【I thought 是挿入語】

That is the engineer *who **I think** is the right man for the job*.
（那位就是我認爲最適合做這項工作的工程師。）【I think 是挿入語】

The man *who **I supposed** was Julia's boyfriend* turned out to be her uncle.
（我認爲是茱莉亞男朋友的那個人，竟然是她的叔叔。）【I supposed 是挿入語】

These are the men *who **I felt confident** were his companions*.
（這些人就是我確信是他的同伴的那些人。）【I felt confident 是插入語】

The student *who **I believed** would pass the examination* has failed.
（我相信會通過考試的那個學生卻考不及格。）【I believed 是插入語】

I know the people *who **they say** are fools*.
（我認識他們稱爲傻瓜的那些人。）【they say 是插入語】

The man *who **I thought** would win* lost the game.
（我認爲會贏這場比賽的那個人卻輸了。）【I thought 是插入語】

【注意】疑問詞 + do you think (believe, imagine, guess, say, suppose,…) 所形成的疑問句中，是將名詞子句的疑問詞放在句首，而 **do you think 是主要子句，而不是插入語。**（詳見 p.147, 405, 406）

名詞子句

"*Who* **do you think** *that young man is*?"（「你認爲那個年輕人是誰？」）
"I think he's Julia's boyfriend."（「我認爲那是茱莉亞的男朋友。」）

名詞子句

"*What* **do you suppose** *he will do*?"（「你想他會做什麼？」）
"I suppose he will go to the movies."（「我想他會去看電影。」）

II. **從屬子句的插入：**

1. **副詞子句的插入：**由從屬連接詞所引導，修飾全句或主要子句的動詞，可放在句首、句中或句尾。

That is, ***as far as I know***, not what he really wants.
= ***As far as I know***, that is not what he really wants.
= That is not what he really wants, ***as far as I know***.
（據我所知，那不是他眞正想要的。）

She is, ***as I told you before***, a coldhearted woman.
= ***As I told you before***, she is a coldhearted woman.
= She is a coldhearted woman, ***as I told you before***.
（就如我以前告訴過你的，她是個無情的女人。）

You can, ***if you like***, take it home.
= ***If you like***, you can take it home.
= You can take it home, ***if you like***.
（如果你喜歡，可以把它拿回家。）

Still he asks, ***when he stops to think***, whether it is all worthwhile.
= ***When he stops to think***, still he asks whether it is all worthwhile.
= Still he asks whether it is all worthwhile, ***when he stops to think***.
（當他停下來思考時，仍然自問這一切是否值得。）

【註】if ever, if possible, if any, if (though) not, though dead, when accurate 等是副詞子句的插入，只是省略了主詞和動詞而已。

I seldom, ***if ever***, saw such a fine sight.
= I seldom saw such a fine sight, ***if I ever*** *saw one*.
（即使有的話，我也很少看到如此好的景色。）

The tempest increased, ***if possible***, at night.
= The tempest increased at night, ***if*** *it was* ***possible***.
（暴風雨如果有可能增強的話，也是在晚上。）

There is little, ***if any***, hope of his recovery.
= There is little, ***if*** *there is* ***any***, hope of his recovery.
（他復原的希望若要說有的話，也是很小。）

I am an eager, ***if*** (*or* ***though***) ***not a skillful***, sportsman.
= I am an eager, ***if*** (*or* ***though***) *I am* ***not a skillful***, sportsman.
（我是一個充滿熱忱的運動員，雖然不是很有技巧。）

A great hero, ***though dead***, yet lives.
= A great hero lives, ***though*** *he is* ***dead***.
（一個偉大的英雄雖然死了，仍然像活著一樣 — 英雄雖死，英名永留人世。）

Facts and figures, ***even when accurate***, can often be misleading.【even 修飾 when 子句】
= Facts and figures, ***even when*** *they are* ***accurate***, can often be misleading.
（事實和數字，即使當它們是精確的，也常常會誤導大家。）

2. **形容詞子句的插入：**

由關係代名詞或關係副詞 when, where 所引導，爲補述用法的形容詞子句，通常放在所修飾的詞語後面。關係代名詞所引導的形容詞子句，意義上相當於對等子句或副詞子句；關係副詞所引導的形容詞子句，意義上相當於對等子句。（詳見 p.163, 244）

These books, ***which are only a small part of my collection***, I picked up in France.
= These books I picked up in France, ***and they*** *are only a small part of my collection*.
（這些書籍只是我收藏中的一小部分，是我在法國時買的。）

You, ***who are my good friend***, ought to help me with my trouble.
= You ought to help me with my trouble, ***as you*** *are my good friend*.
（你是我的好朋友，應該幫助我解決困難。）

Wait till eight, ***when he will be back***.
= Wait till eight, ***and then*** *he will be back*.
（請等到八點，屆時他會回來。）

She went back to the city, ***where she spent the rest of the vacation***.
= She went back to the city, ***and there*** *she spent the rest of the vacation*.
（她回到了那個城市，在那裡她度過了假期其餘的時間。）

Ⅲ. **(and) what～的插入：**(and) what 所引導的子句是一種固定形狀的慣用語，如 (and) what is better, (and) what is more, (and) what is worse, (and) what is (the) best of all…等，這些句子整個當作表累積的對等連接詞用（參照 p.470）。其中 and 常省略，且 and 與 what 之間也可加逗點。

He is a good scholar; ***and***, ***what is better***, a good teacher.
（他是一位好學者，更好的是，還是一位好老師。）

He learns easily, (***and***) ***what is more***, he remembers what he has learnt.
（他容易學會，而且所學的全都記得。）

He said nothing, ***and***, ***what is worse***, laughed at us.
（他什麼也沒說，更糟的是，他嘲笑我們。）

【**註 1**】 (and) what～之後的字詞，常常是一個省略句。

He is good-looking, rich, ***and***, ***what is*** (***the***) ***best of all***, (*he is*) clever.
（他很好看而且有錢，尤其是又聰明。）

【**註 2**】 what we call, what you call, what is called 也是一種插入的慣用語。（參照 p.157）

He is ***what we call*** a true gentleman.
（他是所謂的眞君子。）

Ⅳ. **獨立子句的插入：**

插入的獨立子句緊跟在所修飾或說明的詞語後面，不是從屬連接詞引導的從屬子句，也不是全句的主要子句，而是獨立存在的子句。

He made an apology — ***I wonder if it was a sincere one*** — for having caused us so much damage.（他道歉了 —— 我不知道是不是眞心的 —— 因爲他造成我們這麼多的損害。）

For thirty years — ***I began to support myself at sixteen*** — I had to regard it as the end itself.
（三十年來 —— 自十六歲起我便自力更生 —— 我不得不把自力更生當作是生活本身的目的。）

Aunt Mary — ***I have full permission to mention her*** — spent hours looking for her glasses.
（瑪麗姑媽 —— 我得到充分的許可能提到她的名字 —— 花了好幾個小時找她的眼鏡。）

At the age of ten — ***such is the power of genius*** — he could read Greek with facility.
（十歲時 —— 天才的力量眞大 —— 他已能輕易地閱讀希臘文了。）

V. 片語的插入：

1. **副詞片語的插入**：用來修飾動詞或修飾全句。

Our plan was, ***after all***, a failure.（畢竟我們的計劃失敗了。）

I have, ***in addition***, last month's bills to pay.
（除此之外，我還有上月的帳單要付。）

It happened, ***to be exact***, at two minutes past two.
（正確地說，那是發生在兩點過兩分的時候。）

Have you, ***by any chance***, a picture of my father? I, ***to my sorrow***, have none.
（你碰巧有我父親的照片嗎？很遺憾，我卻沒有。）

The boy is, ***to begin with***, very mischievous.（第一，那小孩很頑皮。）

The envelope, ***strange to say***, had been cut open.（說來奇怪，這封信已被剪開了。）

My cottage, ***of course***, is not much to boast of.（我的小屋當然是沒什麼好誇耀的。）

He is, ***by no means***, equal to the task.（他絕對無法勝任這項工作。）

In this, ***to a certain extent***, he was right.（在這點上，他是有幾分正確的。）

The number did not exceed, ***roughly speaking***, 60 or 70.
（大致說來，這數字並沒有超過六十或七十。）

2. **形容詞片語的插入**：跟在所修飾的名詞之後。

There is nothing (***except the salary***) that attracts me to my present occupation.
〔我現在的職業對我完全沒有吸引力（除了薪水以外）。〕

There was no one (***but you and I***) who was interested in joining her party.
〔沒有人（除了你我之外）有興趣參加她的宴會。〕

That boy, ***looking like a sprite***, lightly sprinted over the rocks.
（那男孩輕快地飛奔過石堆，他看起來像一個小精靈。）

3. **名詞片語的插入**：通常是同位語。

We (***the boys and I***) are coming over to see you tomorrow.
〔我們（那些男孩們和我）明天會來看你。〕

The question, ***how to live***, is itself a moral idea.
（如何生活的問題本身是一個道德觀念。）

VI. 單字的插入：

通常插入的單字是修飾全句的副詞或是具有連接作用的單字，有時也是同位語。

They are luckier, ***however***, because they have a chance to correct their faults.
（然而，他們比較幸運，因爲他們有機會改正他們的錯誤。）

This, ***however***, is something different from what you said the other day.
（但是，這和你前幾天所說的不同。）

It was, ***indeed***, a tragic accident.（那實在是個悲慘的意外。）

This machine is up-to-date, ***indeed***.（這台機器確實是最新型的。）

We are coming over to see you tomorrow (***Friday***).【Friday 是 tomorrow 的同位語】
〔我們明天（星期五）會來看你。〕

I'll come and see you tomorrow. I can only stay a few minutes, ***though***.
（我明天會來看你。但我只能待幾分鐘。）

【註】 **though 放在句尾時，是插入的副詞**，可改成含有 (al)though 讓步子句的句子，或改成由 but 連接的對等子句。

He didn't tell me where he had been. I knew it, ***though***.
= ***Although he didn't tell me***, I knew where he had been.
= He didn't tell me where he had been, ***but*** I knew it.
（雖然他沒告訴我他去過哪裡，但我是知道的。）

He is very rich. He has made his money quite honestly, ***though***.
= ***Though he's very rich***, he's made his money quite honestly.
= He is very rich, ***but*** he has made his money quite honestly.
（雖然他很富有，但他賺錢都很正當。）

Ⅶ. and～的插入：

爲了對前面句子更進一步地補充說明，常用連接詞 and 引導一插入語，此種插入語有時是一省略句。

If you are wrong — ***and I am sure you are in the wrong*** — you must apologize.
（如果你錯了 — 而且我確信是你錯了 — 你就必須道歉。）

Robert's father was a bank clerk, ***and we have reasons to believe***, a good one.
（羅伯特的父親是個銀行職員，我們也有理由相信他是個好職員。）

He thought, ***and very wisely***, that it was best to do so.
= He thought that it was best to do so, ***and*** *he thought* ***very wisely***.
（他認爲最好是如此做，而他的想法是很明智的。）

Much has been said, ***and with reason***, against examination.
= Much has been said, ***and*** *has been said* ***with reason***, against examination.
（關於反對考試的話已說了很多，而且說得很有道理。）

It has been said, ***and truly***, that it is the defeat that tries the general more than the victory.
= It has been said, ***and*** *it has been said* ***truly***, that it is the defeat that tries the general more than the victory.（大家都這麼說，而且說得很對，失敗比勝利更能考驗將軍。）

請立刻做　練習九

第四章　否定構句

含有否定字詞或否定意義的句子稱爲**否定構句**。

I. 否定構句的形成

1. **加上否定字詞**，如：not, no, neither, nor, never, no one, none, nobody, nothing, nowhere, by no means, no longer, no further,…等。

   He is ***not*** happy.（他不快樂。）

   I have ***no*** money.（我沒有錢。）

   Neither of them wants to go.（他們兩個都不想去。）

   The tale is long, ***nor*** have I heard it out.
   （那個故事很長，我也從來沒把它聽完。）【nor 在肯定句之後 = that…not】

   I ***never*** said such a thing.（我從來沒說過這種事情。）

   None of the answers are right.（沒有一個答案是對的。）

   Nobody thinks that his own dog is a nuisance.（沒有人認爲他自己的狗是討人厭的。）

2. **加上有否定涵義的字詞**，如：few, little, barely, hardly, rarely, scarcely, seldom, far from, fail to,…等。

   I have ***few*** acquaintances in town.（我在城裡認識的人很少。）【few = not many】

   He ***little*** knows that the police are after him.（他一點也不知道警察在追緝他。）
   【little 用於動詞之前作「完全沒有；一點也不」解，等於 not at all；用於動詞之後作「幾乎沒有」解】

   He could ***barely*** make himself understood in English.
   （他的英文幾乎無法使人了解。）

   He ***hardly*** ever goes to bed before midnight.（他很少在半夜以前就寢。）

【註】**「not…for + 時間」中的 not 可能修飾動詞，也可能修飾副詞片語 "for…"**。雖是同樣的一句話，卻有兩種不同的涵義。（參照 p.508 註 1，not…because 的涵義）

I have **not** studied English ***for two years***.

① 此時 not 修飾 studied，則譯成「我已有兩年沒學英語了。」

I have **not** studied English ***(for) two years***.【此種涵義中，for 可以省略】

② 此時 not 修飾 (for) two years，則譯成「我學英語還不滿兩年。」

有時依句意可明顯看出只有一種涵義是合理的。

I have **not** read any book ***for a long time***.（我已經很久沒有讀書了。）
【如果 *not* 修飾 *for a long time*，則譯成「我已經讀任何書沒有很久了。」顯然句意不合理】

II. 否定構句意義上的分類：

1. 部分否定與全部否定：

對事物的一部分加以否定者，稱爲**部分否定**；對事物的全部加以否定者，則稱爲**全部否定**。如 ***both…not*** 不是全部否定，而是**部分否定**；***all…not*** 不是全部否定，而是**部分否定**，比較下面兩組例子：

Both (of them) are not my brother.【部分否定】
(= *One is not my brother, but the other is.*)
(並非兩個都是我的兄弟。── 即一個不是我的兄弟，而另一個是。)

Neither (of them) is my brother. (兩個都不是我的兄弟。)【全部否定】

All the students did ***not*** go. (並非所有的學生都去了。)【部分否定】

None of the students went. (沒有一個學生去了。)【全部否定】

部分否定多半由表示「全體；完全」的字詞與否定字連用所形成的，通常譯作「**並非都**」，所以 both…not 不是「兩個都不」，而是「**並非兩個都**」，all…not 不是「全部都不」，而是「**並非全部都**」；全部否定的句子則含有 no, none, neither,…等表「**沒有一個；全都不**」的字詞或「**否定字 + any**」。**使用 all…not, every…not, both…not 時要小心，現代美語中，美國人多視爲「全部否定」。**

下面是部分否定與全部否定常用的慣用語：

	部分否定	全部否定
兩者	{both…not / not…both} (並非兩者都)	{neither / = not…either} (兩者都不)
兩者以上	{all…not / not…all} (= some) (並非所有～都) {every…not / not…every} (= some, few) (並非每一個都) {the whole…not / not…the whole} (並非全部)	{not…any / none} (沒有一個) {no one / nobody} (沒有人) nothing (沒有任何事物)
副詞的否定	not everywhere (並非到處) not absolutely (並非絕對) not altogether (並不全爲) not always (未必) not completely (並非完全) not entirely (並非全都) not exactly (不全是；未必就) not generally (一般並不)　not necessarily (未必) not quite (並不十分)　not wholly (未必) ⋮	nowhere (沒有任何地方) {not (不；沒有) / not at all (一點也不) / never (從不；絕不)}

比較下列各組部分否定與全部否定的例子：

Both of the sisters are ***not*** here.【部分否定】
（並非兩姊妹都在這裡。）
Neither of the sisters is here.【全部否定】
（姊妹二人都不在這裡。）

I did***n't*** invite ***both*** of them.【部分否定】
（他們兩個我並沒有都邀請。）
I did***n't*** invite ***either*** of them.【全部否定】
（= I invited ***neither*** of them.）（我並沒有邀請他們中的任何一個。）

Both Tom ***and*** John did ***not*** come.（並非湯姆和約翰都來了。）【部分否定】
Neither Tom ***nor*** John came.（湯姆和約翰都沒有來。）【全部否定】

All my friends do ***not*** smoke.【部分否定】
（並非我所有的朋友都不吸煙。）
None of my friends smoke.（我的朋友都不吸煙。）【全部否定】

I do ***not*** know ***all*** of them.（他們我不全認識。）【部分否定】
I do ***not*** know ***any*** of them.（他們我全都不認識。）【全部否定】

Not all of us can be heroes.【部分否定】
（並非我們所有人都能做英雄。）
None of us can be heroes.【全部否定】
（我們當中沒有一人能做英雄。）

Everybody does ***not*** believe the rumor.【部分否定】
（並非每一個人都相信這謠言。）
Nobody believes the rumor.【全部否定】
（沒有人相信這謠言。）

Not everybody will believe it.（並非人人都會相信它。）【部分否定】
Nobody will believe it.（沒有人相信它。）【全部否定】

I am ***not absolutely*** wrong.【not 修飾 absolutely，表部分否定】
（我並不是完全錯。）
There is *absolutely no* way to calm him down.（絕對沒有方法能使他平靜下來。）
【absolutely 修飾 no，所以和 no 一樣是全部否定】

The fault is ***not altogether*** mine.【部分否定】
（錯不全在我。）
The fault is *not at all* mine.【not at all 是 not 的加強語氣用法，所以是全部否定】
（錯絕對不在我。）

Children are ***not always*** angels.（孩子未必都是天使。）【部分否定】
Children are ***never*** angels.（孩子並非天使。）【全部否定】

The work is ***not*** finished ***completely***.【部分否定】
（這工作還沒有完全做好。）
The work is *not* finished *at all*.【全部否定】
（這工作根本沒有完成。）

再看下面的例子：

Both of the books are ***not*** helpful.【部分否定】
= ***Not both*** of the books are helpful.
（這兩本書並非都是有益的。）

I do ***not*** remember ***all*** these formulas.（這些公式我並非全都記得。）【部分否定】

We do ***not*** like ***both*** of the books.【部分否定】
（這兩本書我們不是都喜歡。── 我們只喜歡其中的一本。）

The plant ca***n't*** be found ***every***where.（這種植物並非到處可見。）【部分否定】

I know ***neither*** his father ***nor*** mother.【全部否定】
= *I do**n't** know **either** his father **or** mother.*
（我不認識他父親，也不認識他母親。）

I know ***neither*** of his parents.（他的雙親我都不認識。）【全部否定】
= *I do**n't** know **either** of his parents.*

He saw ***nothing***.（他沒看見任何東西。）【全部否定】
= He did ***not*** see ***anything***.

I do***n't*** know her age ***exactly***.（我並不確實知道她的年齡。）【部分否定】

An expensive watch is ***not necessarily*** a good one.【部分否定】
（貴的手錶未必就是好的手錶。）

I do***n't quite*** understand what you say.（我並不完全了解你所說的。）【部分否定】

【註 1】not 也可放在數詞之前用來修飾數詞，造成部分否定。

Many of us will not go there tomorrow.【一般否定】
（我們當中有很多人明天不會去那裡。）
Not many of us will go there tomorrow.【部分否定】
（我們當中不是很多人明天要去那裡。）

Not many of the things are of use in the form in which they are found.【部分否定】
（並不是許多東西在被發現時就是有用的。）

I have a few books, but ***not ten***.【部分否定】
（我有一些書，但不是十本書。）

【註 2】 **none 也可以當副詞用，放在 so, too 或 the + 比較級之前，意思等於 not at all。**
（詳見 p.135）

You are ***none*** *too* early.（你一點也不會太早。）

Although he met with some difficulties, he was ***none*** *the less* sure of his success.
（雖然他碰到一些困難，但他仍然確信自己會成功。）【none the less 仍然】

【註 3】 **any 的後面不可用否定字。**

*Any*body can*not* answer it.【誤】
Nobody can answer it.【正】
（沒有人能回答。）

Any woman would *never* think of that.【誤】
No woman would ever think of that.【正】
（沒有女人曾那樣想過。）

2. **雙重否定：**

一個句子中以兩個否定字詞來表示肯定的意義，稱爲雙重否定。最常見的雙重否定形式爲：否定字詞 + but (*or* without)，其他還有 no…no…, never (*or* no) …nobody, no…not 等前後共兩個否定字詞所形成的雙重否定。

(1) **否定字 + without（每…必…；無…不…）**

No man is ***without*** enemy.（人皆有敵。）
= Every man has his enemy.

There is ***no*** smoke ***without*** fire.
（沒有火就不會有煙；無風不起浪。）

They ***never*** meet ***without*** quarreling.
（他們每次見面必定爭吵。）

I ***never*** called on him ***without*** finding him at work.
（每次我去拜訪他，都看見他在工作。）

(2) **否定字 + but（沒有不…；沒有…不是…）**

There is ***nothing*** in the world ***but*** teaches us some good lesson.
（世界上的一切都能給我們好的教訓。）

There is ***no*** one ***but*** hopes to be rich.（沒有人不想發財。）

It ***never*** rains ***but*** it pours.
（不雨則已，一雨傾盆；禍不單行；屋漏偏逢連夜雨。）

I ***never*** think of summer ***but*** I think (= ***without*** thinking) of my school days.
（我一想到夏天，就會想到我的學生時代。）

⑶ **其他表雙重否定的情形：**

No pains, ***no*** gains.（不勞則無獲。）
= *No* gains *without* pains.
No mill, ***no*** meal.（不播種就沒收穫。）
Never try to prove what ***nobody*** doubts.（人不疑者，不須證明。）
There is ***no*** man in the world who does ***not*** make mistakes.（世上沒有不犯錯的人。）
Do***n't*** just say ***nothing***.（不要只是不說話。）
= *Don't be silent*; *say something*.

3. 準否定：

由 few, little, barely, hardly, rarely, scarcely, seldom 等有否定涵義的字詞所形成的否定，稱爲準否定，這些字詞的意義相當於 **almost** (**nearly**) + **否定字**，作「**幾乎不；幾乎沒有；很少**」解。

⑴ { **few**（+ 可數名詞）/ **little**（+ 不可數名詞）}（幾乎沒有；很少）

few 表示「數」; little 表示「量」或「程度」。

His theory is very difficult; ***few*** people understand it.
（他的理論非常難懂；很少有人了解。）
There is ***little*** water there.【有「幾乎沒有」的涵義】
（那裡沒有多少水。）

【**註**】a few 相當於 some，沒有否定的涵義，意思是「雖然少，但仍有一些」; a little 是「一些」的意思，也沒有否定的涵義。（參照 p.168, 169）

His theory is very difficult, but ***a few*** people understand it.
（他的理論非常難懂，但是仍有一些人了解。）
There is ***a little*** water there.（那裡有一些水。）

⑵ { **barely** / **hardly** / **scarcely** }（幾乎不；幾乎沒有）

He can ***barely*** read and write.（他幾乎不能讀和寫。── 他勉強能讀能寫。）
We could ***hardly*** understand it.（我們幾乎無法了解它。）
He is so uneducated that he can ***scarcely*** write his name.
（他沒受什麼教育，甚至不大會寫他的名字。）

⑶ { **rarely** / **seldom** }（很少；不常）

I ***rarely*** met him.（我很少碰見他。）
I ***seldom*** saw Jack play alone.（我很少看到傑克一個人玩。）

4. **潛在否定：**

有些句子並不使用否定字詞或含有否定意義的字詞，但其句意卻含有否定的意味，這種否定的形式**稱爲潛在否定**，潛在否定不能算是眞正的否定句，只是含有否定意義而已。

常見的潛在否定有下列幾種：

⑴ **肯定的修辭疑問句表示否定的涵義：**

肯定的修辭疑問句 = 否定敘述句；否定的修辭疑問句 = 肯定敘述句

Who knows?（誰知道呢？）
（= ***No*** one knows.）（沒有人知道。）

Who does ***not*** know?（誰不知道？）
（= Everyone knows.）（人人都知道。）

Who can believe him?（誰會相信他呢？── 沒有人會相信他。）
（= ***Nobody*** *can believe him.*）

What difference does it make?
（= *It makes* ***no*** *difference.*）（這有什麼差別呢？── 這沒有什麼差別。）

Who knows what will happen?
（= ***Nobody*** *knows what will happen.*）
（誰知道會發生什麼事？── 沒有人知道會發生什麼事。）

Who cares?（= ***No one*** *cares.*）（誰在乎呢？── 沒有人在乎。）

What is the use of crying over spilt milk?
（= *It is* ***no*** *use crying over spilt milk.*）
（對做錯的事悔恨又有何益？── 對做錯的事悔恨只是徒然。）

⑵ **假設法句型表示否定的涵義**。（參照 p.361, 370）

I should have helped her if I had heard about her trouble.【與過去事實相反的假設法】
（= *I knew* ***nothing*** *about her trouble; therefore, I did* ***not*** *help her.*）
（假如我得知她的困境，我就會幫助她。── 我對她的困境毫不知情，因此我沒有幫助她。）

If he were to come tomorrow, I might have time to see him.【與未來事實相反的假設法】
（= *It is most* ***unlikely*** *that he will come tomorrow.*）
（萬一他明天來，我或許有時間見他。── 他明天很可能不會來。）

Miss Smith wishes she lived in an air-conditioned house.【與現在事實相反的假設法】
（= *In fact Miss Smith does* ***not*** *live in an air-conditioned house.*）
（史密斯小姐眞希望她住的是有空調的房子。── 事實上史密斯小姐住的房子並沒有空調。）

I wish I had gone to a movie with them.【與過去事實相反的假設法】
（= *I regret that I did* ***not*** *go to a movie with them.*）
（要是我跟他們去看電影就好了。── 我後悔沒有跟他們去看電影。）

【註】 其他以 if only, would rather 或感嘆詞引導子句表「願望」的假設法句型，也是一種潛在否定。（詳見 p.370）

⑶ **表潛在否定的慣用語：**

① **above +（動）名詞**

above 接（動）名詞時，是對該（動）名詞所表示的動作或行爲加以否定，作「**不做；不屑；非…所能及**」解。

He is ***above*** meanness and deceit.（他不至於做卑鄙和欺騙的事情。）
He is ***above*** telling a lie.（他不屑於說謊。）
His conduct has always been ***above*** suspicion.（他的行爲一直無可懷疑。）

② **beyond + 名詞（無法；非…所能及）**（參照 p.563）

The price was ***beyond*** what I could pay.（這價格並非我所能付得起。）
Your work is ***beyond*** all praise.（你的表現讓人讚不絕口。）

【註】above 作「非…所能及」解時，與這裡的 beyond 意義相當。

His heroism was ***above*** all praise.（他的英勇讓人讚不絕口。）
= His heroism was ***beyond*** all praise.

③ **fail to（無法）**

I ***fail to*** see the difference.（我看不出其中的差別。）
= *I* ***cannot*** see the difference.

④ **far from（絕非；遠非）**（參照 p.445）

I am ***far from*** blaming him.（我一點也不怪他。）
= I do ***not*** blame him ***at all***.
Nothing was ***further from*** her intention than to destroy my faith.【也可用比較級】
（她絕無破壞我的信念的意圖。）

⑤ **the last + 名詞（最不可能的；最不願意的）**後面接不定詞（片語）或形容詞子句。

That's ***the last*** thing I should expect him to do.
= *It seems most* ***impossible*** that he will do it.
（那是他最不可能做的事。）
As your best friend, he will be ***the last*** person to betray you.
（他是你最好的朋友，是最不可能出賣你的人。）

⑥ **too…to**（太…而不能）（參照 p.415）

His income is ***too*** small ***to*** support his family.
= *His income is* ***so*** *small* ***that*** *it* ***cannot*** *support his family.*
（他的收入太少，不能養家。）

請立刻做　練習十

練 習 一【第十篇介系詞 p.543～628】

請改正下列各題句子中的錯誤。（用最少的字數）

1. You must write your letter with ink.
2. A man is known to the company he keeps.
3. The field was dotted the great yellow hats of peasants.
4. The boy was absorbed building a dam in the brook.
5. I was impressed at the zeal which he spoke of the plan.
6. The gentleman insisted at my receiving the money.
7. At last we reached to the village at the foot of the hill.
8. It is known to everyone that butter is made of milk.
9. The girl is proud of that her family is well descended.
10. Do not rely too much to your friends in time of need.
11. Such conduct is unworthy for you.
12. Democracy is a word of which we are all so familiar that we rarely take the trouble to ask what we mean by it.
13. I asked a question to her.
14. It was thanks for you that he was successful in carrying out his project.
15. The old method is quite different in character than that now in use.
16. It was Sunday last that I rang him up.

【解答】

1. with ink → ***in ink***，*in* 用於表示使用之材料；*with* 用於表示工具或媒介。　2. to → ***by***，*be known to*「為…所熟知」，本句是一諺語「觀其友而知其人」，*by* 有「根據；依照」之意，依句意該改用 *by*。
3. dotted → ***dotted with***，*be dotted with*「點綴著」。　4. absorbed → ***absorbed in***，*be absorbed in*「專心於」。　5. at → ***with***，which → ***with which***，*be impressed with*「被（某事）感動」；*which* 代替抽象名詞 *zeal*，「*with* + 抽象名詞」有副詞的作用。（詳見 p.607）　6. at → ***on***，*insist on*「堅持」。
7. reached to → ***reached***，*reach* 是及物動詞。　8. of → ***from***，*milk* 製成 *butter* 之後性質已改變，因此要用 *from*。（詳見 p.576）　9. proud of that → ***proud that***，*that* 子句前介詞 *of* 須省略。
10. to → ***on***（或 ***upon***），*rely (up)on*「依賴；指望」。　11. for → ***of***，*be unworthy of*「不相配；不應該有的」。（參照 p.587）　12. of which → ***with which***，*be familiar with*「熟悉；熟知」。
13. to → ***of***（詳見 p.583）　14. for → ***to***，*thanks to*「因為；由於」(= *because of*)。
15. than → ***from***（詳見 p.576）　16. Sunday last → ***on Sunday last***，*last* (*next*) *Sunday* 不加介系詞 *on*，但 *on Sunday last* (*next*) 則要加 *on*。

練 習 二 【第十篇介系詞 p.543～628】

請改正下列各題句子中的錯誤。(用最少的字數)

1. They asked many questions from my brother.
2. He will have arrived there till that time.
3. The world will be a better place to live in twenty years.
4. He made fun with me.
5. The automobile went to the direction of the post office.
6. I am the opinion that it is wrong to do so.
7. Many a time did I warn him, but with no purpose.
8. Those who find fault of others are apt to be blind to their own defects.
9. He may be able to come after a week.
10. Although possessed of great scholarship, they are nevertheless destitute with experience.
11. I shall be through the work till five o'clock.
12. I was always having trouble in my teeth.
13. He divided the money among his two sons.
14. Don't talk at your mouth full.
15. It burst into flames, setting the car by fire.
16. My cousin sat besides me at the game.
17. I am convinced the truth of your statement.

【解答】

1. from → ***of*** (詳見 p.583)　2. till → ***by***「最遲在…以前；到…的時候已經」；*till*「直到…時」。
3. to live → ***to live in***，The world will be a better place *to live in* in twenty years.　4. with → ***of***，*make fun of*「開…玩笑；嘲弄」。　5. to → ***in*** (詳見 p.580)　6. the opinion → ***of the opinion***，*I am of the opinion that… = I think that…*。　7. with → ***to***，表示「目的」，*to no purpose*「沒有效」。(詳見 p.600)　8. of → ***with***，*find fault with*「挑…毛病；對…吹毛求疵」。　9. after → ***in***「再過…時間；在…時間內」，*after*「在…之後」。　10. with → ***of***，*be destitute of*「缺少；沒有」。
11. through → ***through with***，till → ***by*** (理由同第 2. 題)，*be through with*「結束；做完」。
12. in → ***with***，*have trouble with*「受…困擾」。　13. among → ***between***，通常用於表示兩者之間的關係，*among* 表示三者或三者以上的關係。(詳見 p.552, 562)　14. at → ***with***，表示「某一動作的附帶狀態」，常形成 with + 受詞 + 受詞補語的句型。　15. by → ***on***，*set sth. on fire = set fire to sth.*「放火燒某物」。　16. besides → ***beside***「在…的旁邊」；*besides*「除…之外(還加上)」。
17. convinced → ***convinced of***，*be convinced of*「相信…」。(參照 p.586)

練 習 三【第十篇介系詞 p.543～628】

請改正下列各題句子中的錯誤。（用最少的字數）

1. Thank you very much to your kindness.
2. She walked fast in fear she should be late.
3. Was he surprised with the news?
4. We sang Old Black Joe with her piano.
5. I cannot buy it by such a price.
6. He will arrive here in the morning of the 15th.
7. You are old enough to be independent on your father.
8. She is dressed of white.
9. He takes it granted that anyone can do it.
10. My parents differ from their opinion about my future education.
11. He is sure to come here till six o'clock.
12. We didn't compel him to do so, but he did it his will.
13. I have been ill from last Tuesday.
14. The examinations begin from Monday.
15. We started in a frosty morning in February.
16. The train arrived to Taipei Station one hour later.
17. I called on his house in the evening.
18. China is to the east of Asia.

【解答】

1. to → ***for***，*thank sb. for sth.*「感謝某人某事」。　2. in → ***for***，*for fear* (*that*)…*should*「以免；惟恐；爲了不」。　3. with → ***at***，*be surprised at*「對…驚訝」。　4. with → ***to***，*to* 可表「配合；伴隨」。(詳見 p.602)　5. by → ***at***，表示價格，作「以…的價格；以…的代價」解。　6. in → ***on***，表示特定的早午晚，要用 *on*，指一般的早午晚則用 *in*，如 *in the morning*。　7. on → ***of***，*be* (or *become*) *independent of*「離開…而獨立」。　8. of → ***in***，表示「穿著」，*She is dressed in white.*「她穿著白色的衣服。」　9. granted → ***for granted***，*take it for granted that*…「視…爲理所當然」。
10. from → ***in***，*differ in opinion*「意見不同」。　11. till → ***by***（理由同練習二第 2. 題）。
12. his will → ***of his own will***「出於他自己的意願」。(詳見 p.585)　13. from → ***since***「自…以來」，可表時間的延續；*from* 只表示「從（某一時間）起」，僅表示時間的起點。由 *have been ill* 可知到現在仍生病，該用 *since*。　14. from → ***on***（詳見 p.574）　15. in → ***on***，指特定的早上要用 *on*。
16. arrived to → ***arrived at***，指到達的時間或地點用 *at*；但到達大的城市也可用 *arrive in*。
17. on → ***at***，*call on* + 人「拜訪某人」；*call at* + 地方「拜訪某地」。　18. to → ***in***，*in the east of*「在…的東部」，*to the east of*「在…的東方」。

練 習 四【第十篇介系詞 p.543～628】

請改正下列各題句子中的錯誤。(用最少的字數)

1. She takes great pride of her beauty.
2. No one has ever succeeded to explain this phenomenon.
3. Her beautiful dark eyes remind me her dead mother very vividly.
4. I saw him come rushing at the door.
5. Before arriving in this conclusion, a careful investigation was made.
6. Tell me what this desk is made.
7. You were always finding fault for me.
8. He resigned his post because his ill health.
9. Instead of the heavy rain, there was a large audience.
10. He declined the invitation for the ground of a previous engagement.
11. He has built a new house by the expense of 500 pounds.
12. This is nothing in comparison to that.
13. We should live according as our income.
14. My father is suffering with a bad cold.
15. Is there any key of success?
16. He struck the dog by his cane.
17. I entrusted him in a large sum of money.

【解答】

1. of → ***in***，*take (a) pride in = pride oneself on = be proud of*「以…自傲」。 2. to explain → ***in explaining***，*succeed in + ～ing* 3. remind me → ***remind me of***，*remind sb. of sth.*「使某人想起某事」。 4. at → ***to***，*rush to the door*「朝著門衝過去」。 5. in → ***at***，*arrive at this conclusion*「達到這項結論」。 6. is made → ***is made of***，…*what this desk is made of.* (詳見 p.585) 7. for → ***with***，*find fault with sb.*「對某人吹毛求疵」。(詳見 p.608) 8. because → ***because of*** 是片語介系詞，接受詞；*because* 是連接詞，引導副詞子句。 9. Instead of → ***In spite of***「儘管」；*Instead of*「代替」。 10. for the ground of → ***on the ground of***「因爲」。(詳見 p.513) 11. by the expense of → ***at the expense of***「以…的價格；以…爲代價」。(詳見 p.557) 12. in comparison to → ***in comparison with***「與…比較之下」。(詳見 p.608) 13. according as → ***according to*** + 受詞「按照…；根據…」；*according as* 是片語連接詞，引導副詞子句。(詳見 p.505) 14. with → ***from***，*suffer from*「患…病；受…之苦」。 15. of → ***to***，*the key to success*「成功的秘訣」。 16. by → ***with*** (詳見 p.606) 17. in → ***with***，*entrust sb. with sth.* 或 *entrust sth. to sb.*，故本句也可改爲 I entrusted a large sum of money to him.

練 習 五 【第十篇介系詞 p.543～628】

請改正下列各題句子中的錯誤。（用最少的字數）

1. Our country is abundant of natural wealth.
2. Mankind is subject in nature.
3. I am responsible to Jim with the loss of his money.
4. She was absorbed to study when I left the room.
5. Didn't you know he was fresh for college?
6. Those school girls became wild at joy when they saw the seashore.
7. You had better speak louder. It seems that he is hard on hearing.
8. He's ill with ease before a large audience.
9. It's a shame that he was deaf at your advice.
10. No one knows who set on fire the building.
11. His offer took me with surprise.
12. Don't lay the blame to yourself.
13. I was presented to a speech.
14. Make the best use for your time.
15. The escaped prisoners were still in large.
16. He is an expert to language. You are no match with him.
17. Her indulgence with gambling made her a complete failure to motherhood.

【解答】

1. of → ***in***，*be abundant in*「富於…」。 2. in → ***to***，*be subject to*「受…支配」。 3. with → ***for***，*be responsible to sb. for sth.*「對某人負責某事」。 4. to → ***in***，*be absorbed in study*「專心讀書」。 5. for → ***from***，*be fresh from college*「剛從大學畢業」；*be fresh from (out of)*「剛從…出來」。 6. at → ***with***，*with joy = joyfully*「高興地」。（詳見 p.607） 7. on → ***of***，*be hard of hearing*「重聽；耳聾」。 8. with → ***at***，*ill at ease*「侷促不安；心神不寧」。 9. at → ***to***，*be deaf to*「不理睬…；不聽…」。 10. set on fire → ***set fire to***（= *set…on fire*）「縱火於…；使…燃燒」。 11. with → ***by***，*take sb. by surprise*「使某人嚇一跳；出其不意地攻擊某人」。 12. to → ***on***，*lay the blame on sb.*「責備某人」。 13. to → ***with***，*present sb. with sth.*「贈送某人某物」，改為被動語態為 *sb. be presented with sth.*。 14. for → ***of***，*make use of*「利用」。 15. in large → ***at large***「自由地；逍遙法外」；*in (the) large*「大規模地」。 16. to → ***in***；with → ***for***，*an expert in* + 名詞 = *a(n)* + 名詞 + *expert*「…專家」，*no match for…*「和…不相配；不是…的對手」。 17. with → ***in***；to → ***in***，*Her indulgence in…*「她沉迷於…」，*failure in* + 名詞（或 *to* + 原形 *V*）「做…失敗」。

練 習 六 【特殊構句篇第一章倒裝句 p.629～643】

I. 將下列各句改爲倒裝句，並強調劃線部分的語氣。

1. The defeated army ran away, leaving many wounded soldiers.
2. We can know the past, but we only feel the future.
3. The news impressed me so strongly that I could not utter a word for some time.
4. Our eyes are opened only after we have made a mistake.
5. I have often heard it said that he is not trustworthy.
6. His faithful dog sat by his side.
7. We must in no case imagine that material comfort is the final goal of human happiness.
8. I never expected that the man would turn up at the meeting.
9. I found so many happy people nowhere else.
10. He said goodbye to me and he drove off.

II. 請以括弧內的字，將下列句子改寫成倒裝句。

11. I have heard of him since I came to live here.〔seldom〕
12. The boy had started on his bicycle before it began to rain.〔hardly〕
13. I saw such a fine sight.〔never〕
14. The bus comes at last.〔here〕
15. I heard that strange scream during my stay.〔twice〕

【解答】

1. ***Away*** *ran* the defeated army, leaving many wounded soldiers. 2. We can know the past, but ***the future*** we only feel. 3. ***So strongly*** *did* the news impress me that I could not utter a word for some time. 4. ***Only*** after we have made a mistake *are* our eyes opened. 5. ***Often*** *have* I heard it said…. 或 ***Often*** I *have* heard it said….（詳見 p.632） 6. ***By his side*** *sat* his faithful dog. 7. ***In no case*** *must* we imagine…. 8. ***Never*** *did* I expect that…. 9. ***Nowhere else*** *did* I find…. 10. He said good-bye to me, and ***off*** he drove. 11. ***Seldom*** *have* I heard of him since I came to live here. 12. ***Hardly*** *had* the boy started on his bicycle before it began to rain. 13. ***Never*** *did* I see such a fine sight. 14. ***Here*** comes the bus at last. 15. ***Twice*** *did* I hear (*or* ***Twice*** I heard) that strange scream during my stay.（詳見 p.632）

練 習 七 【特殊構句篇第二章省略句 p.644～649】

I. 下列句子中，有些字詞省略了，請將省略的字詞補在原句上，用括弧括起來。

1. Welcome, John!
2. "Will it rain?" "I hope not."
3. One more loss, and you are ruined.
4. It might have done great damage, if not serious.
5. Why stay here, if you can get a better salary elsewhere?
6. He is not so clever as his brother.
7. You like him better than me.
8. Good morning.
9. See you again tomorrow.
10. Spare the rod, and spoil the child.
11. I will do so, if necessary.
12. He could accomplish the purpose, but nothing else.
13. There are some I can tell one thing, and others another.
14. Oh that you could be here longer!
15. Everything happened as expected.

II. 下列句子中有些字詞可省略，而不影響句意，請用括弧將可省略的字詞括起來。

16. You play tennis much better than he plays tennis.
17. Form a habit of reading when you are young.
18. You may go if you want to go.

【解答】

1. (*You are*) welcome, 2. I hope (*it will*) not (*rain*). 3. (*Suffer*) one more loss, 4. (*even*) if (*it might*) not (*have done*) serious (*damage*). 5. Why (*do you*) stay here, 6. He is not so clever as his brother (*is*). 7. You like him better than (*you like*) me. 8. (*I wish you a*) good morning. 9. (*I will*) see you again tomorrow. 10. Spare the rod, and (*you will*) spoil the child. 11. if (*it is*) necessary 12. but (*he could accomplish*) nothing else 13. (*whom*) I can tell…and (*there are*) others (*whom I can tell*) another (*thing*).「有些人我能告訴他們某一件事，另外一些人我能告訴他們另外一件事」(我能夠說的事情因人而異)。 14. Oh (*how I wish*) that… 15. as (*it had been*) expected 16. You play tennis much better than he (*plays tennis*). 17. Form a habit of reading when (*you are*) young. 18. You may go if you want to (*go*).

練 習 八【特殊構句篇第二章省略句 p.644～649】

下列句子中有些字詞可省略，而不影響句意，請用括弧將可省略的字詞括起來。

1. The house of our neighbor is a house that is built of brick.
2. Everyone thought him to be a man who was honest.
3. He is a man who does not talk very much.
4. While he was waiting, he fell asleep.
5. Why do you not try it?
6. I don't know what I am to say.
7. If it is necessary, it shall be done.
8. Everything happened as had been expected.
9. "I'm sorry to trouble you. Is my sister there?"
   "No, I'm afraid that she isn't here."
10. Children discover that the rules which are imposed on them in the nursery or at school are not the whole truth. Perhaps they are not the rules which are really observed by grown-up people.
11. I hurriedly thanked the woman for the trouble that she had taken and left the cottage as quickly as I could leave.
12. Though he was sick, he worked all day.
13. I determined to commit suicide on the very day on which I left prison.
14. I wanted to turn round and look at her. It was quite an effort not to do so.
15. What would become of me if they demanded the payment of the debt without delay?
16. Don't speak until you are spoken to.

【解答】

1. The house of our neighbor is (*a house that is*) built of brick. 2. …him (*to be a man who was*) honest. 3. He (*is a man who*) does not…. 4. While (*he was*) waiting, …. 5. Why (*do you*) not try it? 6. I don't know what (*I am*) to say. 7. If (*it is*) necessary, …. 8. Everything happened as (*had been*) expected. 9. "No, I'm afraid (*that*) she isn't (*here*)." 10. …that the rules (*which are*) imposed on them…. Perhaps they are not the rules (*which are*) really observed…. 11. …for the trouble (*that*) she…as I could (*leave*). 12. Though (*he was*) sick, he…. 13. …the very day (*on which*) I left prison. 14. …It was quite an effort not to (*do so*). 15. What (*would become of me*) if they demanded…? 16. Don't speak until (*you are*) spoken to.

練 習 九 【特殊構句篇第三章插入語 p.650～656】

I. 指出下列各句中的插入語。

1. He is, as it were, a walking dictionary.
2. I was intoxicated, so to speak, with joy at the news.
3. He thinks, fool that he is, that he knows everything.
4. You see, fortunately or unfortunately, I am not black.
5. Your mind, like your body, is a thing of which the powers are developed by effort.

II. 將括弧內的字詞插入句中適當的位置。

6. To read with imagination, you must be alert. 〔in the first place〕
7. The best public schools are largely for boarders. 〔if not wholly〕
8. Most people feel completely at sea when it comes to understanding how a piece of music is made. 〔however〕
9. Newspapers stress the fact that their readers should guard the freedom of the press as a precious right. 〔like the newspapers themselves〕
10. The world of today is a close community of peoples. 〔in fact〕
11. Our university has produced numerous leaders of this country. 〔through many centuries〕
12. Standard English is used by people of education and standing in the community. 〔on the whole〕
13. To discover a thousand-dollar bill suddenly is a sensation that each should experience at least once in his brief lifetime. 〔when you least expect it〕

【解答】

1. as it were (= so to speak)「可謂；好像」。 2. so to speak「可謂；好像」。
3. fool that he is = *fool* **as** *he is*「雖然他很笨」。(參照 p.529) 4. fortunately or unfortunately
5. like your body 6. …you must be, *in the first place*, alert.
7. …largely, *if not wholly*, for boarders. 8. Most people, *however*, feel….
9. …that their readers should, *like the newspapers themselves*, guard….
10. The world of today, *in fact*, is a close community of peoples.
11. Our university has, *through many centuries*, produced numerous leaders of this country.
12. Standard English is used, *on the whole*, by people of education and standing in the community.
13. To discover a thousand-dollar bill suddenly, *when you least expect it*, is a sensation that each should experience at least once in his brief lifetime.

練 習 十 【特殊構句篇第四章否定構句 p.657～664】

I. 請依照括弧內的指示，改寫下列句子。

1. Both of them are to come.〔改爲部分否定〕
2. Whenever he goes out, he loses his umbrella.〔用雙重否定表示〕
3. Not all of his family are happy.〔改爲完全否定〕
4. Neither student works hard.〔改爲部分否定〕
5. Everybody cannot be an Edison.〔改爲完全否定〕
6. I never follow his advice.〔改爲部分否定〕
7. Who on earth knows the truth?〔用敘述句表示〕
8. I don't like worms. Zebras don't like lions.〔用 not…any more than 改寫〕
9. Everytime I go to the zoo, I look at the monkeys.〔用 never…without 表示〕
10. Hurry up, or you will be late for school.〔用 If…表示〕
11. He is a scholar in a sense, but it is right to say he is a teacher.
〔用 not so much…as 表示〕
12. How can I complain of my present job?〔用敘述句表示〕
13. Everybody loves his country.〔用 There is nobody but…表示〕

II. 請在下列空格裡填上一字，使各題的兩個句子意義相同。

14. This is the most delicious thing I have ever eaten.
= I have ________ eaten such a delicious thing.
15. I am lonely at home. I am an only child.
= I am lonely at home. I have ________ brother or sister.
16. He was so angry that he could not speak.
= He was ________ angry to speak.

【解答】

1. ***Not both*** of them are to come. 2. He ***never*** goes out ***without*** losing his umbrella. 3. ***None*** of his family are happy. 4. ***Not both*** students work hard. 或 ***Both*** students do ***not*** work hard. 5. ***Nobody*** can be an Edison. 6. I do ***not always*** follow his advice. *not always*「未必」。 7. ***No one*** knows the truth. 8. I do***n't*** like worms ***any more than*** zebras like lions. 9. I ***never*** go to the zoo ***without*** looking at the monkeys. 10. ***If you don't hurry up***, you will be late for school. 11. He is ***not so much*** a scholar ***as*** a teacher. 12. I can***not*** complain of my present job. 13. ***There is nobody but*** loves his country. 14. never (*or* not) 15. no 16. too，*too…to = so…that…cannot*。

【附錄 —— 大學、高中入學考試英文試題勘誤表】

【2005 年大學入學學科能力測驗勘誤表】

題　號	修　正　意　見
第 12 題	*Without* much contact with.... → ***No having had*** much contact with.... 因爲句中已經有了 with，不得再用 without，而且依句意，應用完成式分詞，表示先發生，句意才清楚。(詳見 p.461)
第 14 題	... so that they *may* appear.... → ... so that they ***might*** appear.... 主要子句動詞用過去式，根據句意，so that 之後也應該用過去式的 might。(詳見 p.354)
第 16－20 題	最後一句：... that *marks* his films with.... → ... that ***would mark*** his films with....
第 21－25 題	第一段：... *At the moment* EU.... → ... ***At the moment,*** EU.... 第二段：... this would be *to* the best interest of all people.... → ... this would be ***in*** the best interest of all people.... 因爲 in the interest of *one* 對某人有利；爲了某人的利益 = to *one's* interest
第 45 題	*This passage ... a(n)* → This passage ... ***a***
第 53 題	*... the red ant....* → ... the red ***fire*** ant....
第 54 題	(A) (B) (C) (D) ... *the red ant....* → ... the red ***fire*** ant.... (C) 須將 young ants 去掉 (D) ... *the* house. → ... ***a*** house.
第 55 題	*... the red ant....* → ... the red ***fire*** ant....
第 56 題	(A) (B) (C) (D) ... *the red ant....* → ... the red ***fire*** ant....

【2006 年大學入學學科能力測驗勘誤表】

題　號	題　目	修　正　意　見
第 18 題	..., I am sorry *that*	..., I am sorry, ***but*** * 在此 I am sorry, but.... 源自 I wish I could, but....。
第 41 題	(A) To *find who are* the most stressed out teenagers.	(A) To ***find out who*** the most stressed out teenagers ***are***. * 根據句意，應用 find out「找出」；名詞子句要用敘述句形式。(詳見 p.146)
第 45－48 題 第一行	... Shen Nung *in 2737 B.C. introduced the drink.*	... Shen Nung ***introduced the drink in 2737 B.C.***

題　號	題　目	修　正　意　見
第 49－52 題 第二段 第二行	*Meanwhile*, the space suit....	***In addition***, the space suit.... * 根據句意，是「此外（還有）」的意思。
第 49－52 題 第二段倒數 第二行	... provides necessary oxygen supply....	...provides ***the*** necessary oxygen supply.... * 指定的，應加定冠詞。（詳見 p.217）
第 54 題	(A) ... of *the* brains.... (B) ... of *the* brains.... (C) ... of *the* brains.... (D) ... of the *brains* for learning *second languages*.	(A) ... of ***their*** brains.... (B) ... of ***their*** brains.... (C) ... of ***their*** brains.... * 根據句意，應用 their。 (D) ... of the ***brain*** for learning ***a second language***.

【2007 年大學入學學科能力測驗勘誤表】

題　號	題　目	修　正　意　見
第 2 題	...last year, *already* showed his great....	將 already 去掉，或改成 ...last year, ***had already*** showed his great.... * already 在此應和完成式連用。
第 5 題	...solid foundation *for research*.	應改成 ...solid foundation ***in research skills***. 或 ...solid foundation ***in research techniques***. 句意較清楚。
第 14 題	...how much *scholarship*....	...how much ***scholarship money***.... 或 ...how ***large a scholarship***.... * scholarship 應加冠詞 a，只能說 how large，不能說 how much；如要用 how much，scholarship 後須加 money。
第 26－30 題 第七行	And *being* a tiny country, everything in Rwanda....	And ***because it is*** a tiny country, everything in Rwanda.... * 這句話是明顯的錯誤，因爲前後主詞不一致，故分詞構句中的主詞 it 不可省略，改成子句較佳。（詳見 p.458）
第 31－40 題 第三行	...his *house*, *at night*.	...his ***house at night***. * 不需要逗點，句尾的 at night 前面加個逗點很奇怪。

題　號	題　目	修　正　意　見
第 45－48 題 第一段 第四行	Rather it is PBS, *Public* Broadcasting *System*,....	Rather it is PBS, ***the Public*** Broadcasting ***Service***,.... * 專有名詞不加冠詞，但公共建築、機關的名稱前，應加定冠詞 the。(詳見 p.218) 公共電視台 PBS 中的 S 是 Service，不是 System。
第 45 題	..., PBS *received* part of its....	..., PBS ***receives*** part of its.... * 整篇文章都是現在式，怎麼突然出現一個過去式動詞？表示不變的事實，應用現在式。
第 49－52 題 第二段 第六行	...out of *bamboo/cotton* blend.	...out of ***a bamboo/cotton*** blend. * blend（混合製品；混紡）爲可數名詞，前面須加冠詞 a。
第 52 題	(C) ...than *bamboo/cotton* blend for clothing.	(C) ...than ***a bamboo/cotton*** blend for clothing.

【2008 年大學入學學科能力測驗勘誤表】

題　號	題　目	修　正　意　見
第 41－44 題 第 3 行	*Everyone* starts... everyone 和 every one 不一樣。在大考中心參考的原文："Small Mammals: Black Howler Monkeys" 中，寫成 Every-one 也不對，在下列網站中，可以查到：http://nationalzoo.si.edu/Animals/SmallMammals/Exhibits/HowlerMonkeys/LoudestAnimal/default.cfm	應改爲：***Every one*** starts.... * everyone = everybody = every person 是指「每一個人」，而 ***every one*** 是指「**每一個**」，未必是人，在此是指「猴子」，文章中的 every one 是 every one *of the howler monkeys* 的省略。every one 強調 one 的意思。 (詳見 p.130)
第 48 題 (A)	It is...run *to* the lake.	應改爲：It is...run ***into*** the lake. *「流入」應該是 ***run into***，不是 *run to*。 (詳見 p.582)
第 52 題 (C)	...easier to *handle for sculptors*.	應改爲：...easier ***for sculptors to handle***. * 不定詞的意義上的主詞 for sculptors 應放在 to handle 的前面。
第 56 題 (A)	...more *pain killers*.	應改爲：...more ***painkillers***. * painkiller〔ˈpenˌkɪlɚ〕*n.* 止痛藥 是一個字，無論在所有字典上或網路上，都是一個字。

【2009年大學入學學科能力測驗勘誤表】

題　號	題　目	修　正　意　見
第16-20題 第5行	He then *coated* the glue on a paper…. → He then ***put*** the glue on a paper….	「在紙上塗上黏膠」，不是 *coat* the glue on a paper 而是 ***put*** the glue on a paper，因爲 coat 是「在…塗上」，在此不合句意。
第31-40題 第5行	__32__ *and this time,* … → __32__ and**,** this time, …	this time 爲挿入語，前後須有逗點。 （詳見 p.650）
第31-40題 選項(F)	(F) *finishing* → (F) ***finish***	「終點線」是 ***finish line***，不是 *finishing line*（誤）。
第42題	Where *is* Eleanor's letter sent to? → Where ***was*** Eleanor's letter sent to?	依句意爲過去式，故 *is* 須改爲 ***was***。
第44題(D)	Her handwriting *has improved* a lot after entering the company. → Her handwriting ***improved*** a lot after entering the company. 或 Her handwriting has improved a lot ***since she entered*** the company.	after entering the company 是過去的時間，故動詞 *has improved* 須改爲過去式 ***improved***；也可保留 has improved，但須將後半句改爲 ***since she entered*** the company。（詳見 p.330, 335）
第45-48題 第二段第5行	*has* a greater… → ***creates*** a greater…	依句意，應是「產生」碳足跡，故 has 須改爲 ***creates***。 create 一般當「創造」講，在這裡作「產生」解。
第46題(C)	*In* Baltra. → ***On*** Baltra.	Baltra 是一座島，在島上，介系詞須用 on。在第二段第2行也有出現：on the island of Baltra。（詳見 p.592）
第49-52題 第4行	…are known for *the* use of… → …are known for ***their*** use of…	依句意，應是「牠們」使用…，故須將 *the* 改爲 ***their***。
第53-56題 第一段第2行 第三段第3行 及第7行	…*dieting* habits → ***eating*** habits 或 ***dietary*** habits	「飲食習慣」應說成：***eating habits*** 或 ***dietary habits***，而不是 *dieting habits*（節食習慣）。
第53題(A)	To…eating *disorder*. → To…eating ***disorders***.	disorder（疾病）爲可數名詞，故 *disorder* 須改爲 ***disorders***。

【2010年大學入學學科能力測驗勘誤表】

題 號	題 目	修 正 意 見
第4題	..., *prices for* daily necessities.... → ..., ***the prices of*** daily necessities	「日用品的價格」該用所有格的形式。
第10題	... do *house* chores .... → ... do ***household*** chores	「家事」應該是 household chores 或 housework。
第26－30題 最後一行	According to one *research*, ... → According to one ***research study***, ... 或 According to one ***study***, ...	research 正常情況爲不可數名詞，study 才是可數名詞，兩者都可作「研究」解。
第31－40題 倒數第5行	... must *behave himself* as such. → must ***behave*** as such.	出題原文是：conduct himself as such，改編錯誤，behave oneself 後面應接表稱讚的副詞。
第41－44題 最後一段 倒數第3行	*Since rats love to hunt and eat wetas, the rat population on the island has...native weta population.* → ***Since rats love to hunt and eat wetas, the rat population on the island poses a serious threat to the native weta population.*** 或 → ***The rat population on the island has grown into a real problem for many of the native species that are unaccustomed to its presence, and since rats love to hunt and eat wetas, they poses a serious threat to the native weta population.***	改編錯誤，不合邏輯，參照原文一看即知： The rat population on the island has burgeoned into a real problem for many of the native species who are unaccustomed to its presence, and has put a serious dent in the native weta population. Quite simply, rats love to hunt and eat wetas.
第44題 (A)	The *rat's*. → The ***rat population's***.	由前半句 Since rats love to hunt and eat wetas, the rat population on the island.... 可知，its 應是指 the rat population's。
第45－48題 第三段第5行	*After* the 1960s, and especially since the 1980s, the high school prom in many areas has become .... → ***Since*** the 1960s, and especially since the 1980s, the high school prom in many areas has become	由 and especially since the 1980s 及完成式動詞 has become 可知，*After* 應改成 ***Since***。參照「出題來源」，就可知改編錯誤。
第三段 倒數第2行 最後一段 倒數第2行	... Stretch limousines *were* hired .... → Stretch limousines ***are*** hired .... for homeless youth *were* reported. → ... for homeless youth ***are*** reported.	由倒數第3行的 has become 可知，應將過去式 *were* 改成現在式 ***are***。

題 號	題 目	修 正 意 見
最後一段 倒數第 2 行	There *were* also “couple-free” proms *to* which all students are welcome. → There ***are*** also “couple-free” proms ***at*** which all students are welcome.	由句尾的 are welcome 可知，應將過去式 were 改成現在式 ***are***，參照「出題來源」，即知改編錯誤。須將介系詞 *to* 改成 ***at***，因為：You are invited *to* a place. 或 You are welcome ***at*** a place.
第 49－52 題 第二段 第 1, 2 行	… such *an arrangement* …. → … such ***arrangements*** ….	配合前一句的複數名詞 Home exchanges，「出題來源」本來就是複數 arrangements。
第五段 倒數第 2 行	*It does not matter if the agreement would hold up in court*, but …. → ***The agreement may not hold up in court***, but ….	為了配合後面的連接詞 but，須改寫，句意才清楚。
最後一段 第 2 行	… make sure their *home*…. → … make sure their ***borrowed home***….	依句意，不是他們自己的房子，是「借來的」房子才對。
第 49 題 (B)	*How home exchange is becoming popular.* → ***How popular home exchange is becoming.***	整句的回答，應該是名詞子句的形式，做 about 的受詞，How 引導名詞子句，應加上所修飾的字才對。
第 53－56 題 第三段第 2 行	He saw *a hope* …. → He saw ***hope*** ….	hope 正常情況為不可數名詞。

【2005 年大學入學指定科目考試勘誤表】

題 號	修 正 意 見
文意選填 第 31 至 40 題 第一段第 5 行 第二段第 10 行	*Penghu islands* → ***the Penghu islands*** * 群島名稱應加定冠詞。(詳見 p.218) *the primitive* → ***its primitive*** 或 ***a primitive*** * 不定冠詞 a 和 an，常放在形容詞前。(詳見 p.215)
篇章結構 第 41 至 45 題 倒數第 3 行	*Up to date* → ***To date*** 或 ***Up to now*** 或 ***So far*** 表「到目前為止」。 * up to date 的意思「新式的；現代化的」，是形容詞片語。
閱讀測驗 第 46 至 49 題 第 4 行	*higher* → ***taller*** * 人和大樓的「高」，用 tall。(詳見 p.210)
48 題選項 (A)	*a 160-feet huge antenna* → ***a huge, 160-foot antenna*** * 名詞做形容詞表單位，用單數。(詳見 p.87)
51 題選項 (A) 選項 (B)	*their daily concern* → ***one of their daily concerns*** * 根據句意，每天關心的事情很多，應該是其中之一。 *discuss* → ***talk*** * discuss 是及物動詞。

題　號	修　正　意　見
52 題選項 (C)	*Immune system disorder* → ***Immune system disorders*** * disorder（疾病）是可數名詞，文章中第二段也出現過 disorders。
第 54 至 56 題 第一個框框 第 1-2 行	*... as it is an alien when compared to the business climate of the country.* → ... ***when it is an alien in the business environment of the country***. 或 ... ***as it is an alien when compared to other companies in the business environment of the country***. * when compared to 後須接比較對象，故應加入 other companies，如果不用 other companies，應直接把 when compared to 去掉。指一個國家的經濟「環境」，不用 business climate，而用 business environment。
第 4 行	*to reveal* → ***revealing*** *leave* → ***leaving*** * 因爲做介系詞 of 的受詞。(詳見 p.432)
第 6-7 行	*the political activists* → ***political activists*** * 因爲不指定，不須加定冠詞。(詳見 p.217)
第二個框框 第 5 行	*...revenue, buying power...*→*...**revenue**, **by the buying power*** ... * 因爲 and 連接 by the level ...，by the buying power ... 和 by the state of ...。 或 ... *by the state of* ... → ... ***state of*** ... * 把 by the state of 中的 by the 去掉，變成 and 連接三個名詞。

【2006 年大學入學指定科目考試勘誤表】

題　號	修　正　意　見
詞　彙 第 8 題	... *to their last relics*. → ... ***to the last relics of their foundations***. 或 ... ***to the ruins of their foundations***. * 如不改，句意較不清楚。
綜合測驗 第 11 至 15 題 倒數第 3、4 行	... *the International System of measures*.... → ... ***the international system of measures***.... 或 ... ***the International Systems of Units***（國際單位制）.... * 用錯專有名詞，前面是大寫，後面就要大寫。
閱讀測驗 第 49 題	(D) it threatened the *life* of his livestock → ***it threatened his livestock***【避免重覆】 或 ***it threatened the lives of his livestock*** * life 該用複數 lives。(詳見 p.77)
第 52 題	(B) *was good at disguising* → ***was good at disguising itself*** * 因爲 disguise 是及物動詞。 (C) had beautiful *skins* and paws → had beautiful ***skin*** and paws * 由於 wolf 爲單數，指牠的皮膚，應改爲單數的 skin。

【2007年大學入學指定科目考試勘誤表】

題號	修正意見
二、綜合測驗 第11至15題 第2行	... how satisfied they *are*.... → ... how satisfied they ***were***.... * 根據本句的句意，該用過去式動詞 ***were*** 才對。
第11至15題 第2、3行	*The resulting statistics graph*.... → ***A graph of the results***.... * 沒有 *a statistics graph* 的說法，因爲它是指世界上任何統計數字的圖表，只能說 ***a graph of the results***（這項研究結果的圖表）。
第11至15題 第3行	*Most of the people start off*.... → ***Most people*** start off.... 或 → Most of the people ***started off***.... * Most of the people 和 Most people 句意不同，Most of the people（他們當中大多數的人）是指前面接受研究的人，研究已經結束，該用過去式 started off（一開始）；Most people（大多數的人）指常態，才可用現在式動詞 start off。
第21至25題 倒數第4行	... by ecological disturbances, changes in food and water supplies, *as well as* coastal flooding. * *as well as* 應改成 ***and***。and 連接三個名詞片語，即 ecological disturbances、changes in food and water supplies，和 coastal flooding，不能用 *as well as*。我們只能說：A, B, ***and*** C（正），不能說 *A, B, as well as C*（誤）。（詳見 p.468） 如果要保留 as well as，就要改成：... by ecological disturbances ***and*** changes in food and water supplies, as well as coastal flooding. * 要將 disturbances 後的逗點去掉，加上 and。我們說：A and B, as well as C。（詳見 p.468）
第21至25題 倒數第2行	... poor people and poor countries are less *probable* to.... → ... poor people and poor countries are less ***likely*** to.... * 人做主詞時，必須用 ***likely***，而不能用 *probable* 或 *possible* 等非人稱形容詞做主詞補語。（詳見 p.194）
三、文意選塡 第31至40題 第7行	... are likely to choose it *too*. → ... are ***more*** likely to choose it. * 由於前面沒提到誰已經選擇了它，所以 too 是多餘的，且加上 more 才合乎句意。
四、篇章結構 第41至45題 第3行	... pension (*i.e., payment received after retirement*) system.... → ... pension (***payment received after retirement***) system.... 或 → ... pension***, i.e., payment received after retirement,*** system.... * 用（ ）就不需要 i.e.，避免重複。
第41至45題 第5行	... while *payouts* they get after retirement fall. → ... while ***the payouts*** they get after retirement fall. * 由於 payouts 後有形容詞子句修飾，先行詞 ***payouts*** 前面必須加定冠詞 ***the***。（詳見 p.217）
第41至45題 第6、7行	... companies *by 2013* to raise....age from 60 to 65 or *rehire* their.... → ... companies to raise....age from 60 to 65 ***by 2013*** or ***to rehire*** their.... * 原句語意不清，or 連接兩個不定詞片語，由於距離遠，應加 to。

題　號	修　正　意　見
五、閱讀測驗 第 46 至 49 題 第 1 行	...born in 1835 *to a weaver's family*.... → ...born in 1835 ***into a weaver's family***.... 或 → ...born in 1835 ***to a weaver***.... * { ***be born to*** + 人 是某人的小孩 　 ***be born into ~ family*** 出生於～家庭
第 46 至 49 題 第 3 行	... *leave for* new possibilities in America. → ...***leave and search for*** new possibilities in America. * leave for 是「前往」，不是「爲了…而離開」。本文改編自「美國公共電視網名人介紹單元」，原文是：....leave the poverty of Scotland for the possibilities in America.
第 46 題	(D) Because his family...living in their *hometown*. → (D) Because his family...living in their ***home country***. * 本題 (D) 是正確答案，因爲文章中只提到他們的祖國（Scotland），沒有提到他們的故鄉在哪裡，故應改成 home country 較好。
第 47 題	When did Carnegie begin to...artistic and intellectual *pursuit*? → When did Carnegie begin to...artistic and intellectual ***pursuits***? * 前面有 artistic（藝術的）和 intellectual（智力的），故 pursuit 應用複數形才對。
第 50 題	(A) *Gene* problem. → (A) ***A gene*** problem. 或 (A) ***A genetic*** problem. * 本題 (A) 是正確答案，由於 problem 是普通名詞，前應有冠詞。(詳見 p.49)
第 53 至 56 題 第 11 行	... organization *to make* the world free of conflict diamonds. → ... organization ***dedicated to making*** the world free of conflict diamonds. * ***be dedicated to*** 致力於 organization 不是動詞，不能接不定詞表目的。(詳見 p.413)

【2008 年大學入學指定科目考試勘誤表】

題　號	修　正　意　見
二、綜合測驗 第 21 至 25 題 第 4 行	... oftentimes it __22__ *over drinking*.... → ... oftentimes it __22__ ***overdrinking***.... * overdrink 在所有字典中都是一個字。
四、篇章結構 第三段 第 1～2 行	... *but faces worth watching are just the same*. → ... ***but there are still faces worth watching***. 或 → ... ***but the opportunities to see the faces worth watching are just the same***. * 原文句意是「但值得看的臉孔都一樣」，應該是雖然咖啡廳裡坐的藝術家不像以前的那麼偉大，「但還是有些臉孔是值得看的。」不改的話，句意不合理。 選項 (E) .... *among* the upper class. → .... ***in the lives of*** the upper class. * 根據句意，應是「在他們的生活中扮演重要的角色」才合理。

題　號	修　正　意　見
五、閱讀測驗 第 47 題	When did *the Lego* brick *become as* a creative form of toy? → When did ***the plastic Lego*** brick ***become accepted as*** a creative form of toy? * 因爲 1947 年開始用塑膠製造，如果不加上 plastic，句意就不清楚。「被認爲是」是 be accepted as，所以要改成 become accepted as 才對，become 是 be 動詞的變體。
第 52 題	(A) She has…*tempers*. → She has…***temper***. * temper 當「脾氣」解時，爲單數，像 keep *one's* temper「忍住脾氣」，lose *one's* temper「發脾氣」等。
第 53 題	What's the writer's purpose *of writing this passage*? → What's the writer's purpose ***in writing this passage***? 或 → What's the writer's purpose ***of this passage***? * purpose 後面接 of 加名詞，接 in 加動名詞。

【2009 年大學入學指定科目考試勘誤表】

題　號	修　正　意　見
一、詞彙 第 2 題	*Spending* most of his childhood in Spain, …. → ***Having spent*** most of his childhood in Spain, …. * 童年時期已經過去，應該用完成式的分詞，表示比主要動詞先發生。(詳見 p.461)
二、綜合測驗 第 13 題	… in order that the "patient" *understand* them completely. → in order that the "patient" ***may understand*** them completely. * 表「目的」的 in order that 後面要用 may。(詳見 p.513) 或 → ... in order ***to make the "patient" understand***….
第 11 至 15 題 第 2 段倒數 第 2 行	The unique system can *both be used* in a…*or* for…. → The unique system can ***be used both*** in a…***and*** for…. 或 → The unique system can ***be used either*** in a…or for…. * both…and 和 either…or 連接兩個文法作用相同的片語。(詳見 p.466, 474)
三、文意選塡 第 22 題 答案 (F) leaving	Once *leaving* the environment…, the feeling of…. → Once ***they have left*** the environment…, the feeling of…. 或 → Once ***they leave***…. * 前後主詞不一致，不能省略主詞。(詳見 p.458)
第 21 至 30 題 第 5 行	… *would be* gone. → … ***is*** gone. * 依句意，非假設法，也非過去的未來，故不能用 would be。(詳見 p.308, 309)
第 5 行	…, the addicted person *would go* shopping again. → …, the addicted person ***goes*** shopping again. * 講事實，非假設法，應用現在簡單式。
第 5 行	*Eventually a feeling of suppression will overcome the person.* → ***Eventually the person will feel a desire to suppress the addiction.*** * 原句是中式英語。

題　　號	修　　正　　意　　見
第 7 行	… feels ashamed of *their* addiction…. → … feels ashamed of ***the*** addiction…. * 主詞是 the person，不能用 their。
第 24 題 答案 (G) turn to	… prompted to *turn to* another purchase. → … prompted to ***resort to*** another purchase. 或 → … prompted to ***make*** another purchase. * turn to 和 resort to 都可作「求助於」解，但「訴諸」最後的手段，就要用 resort to。像 a last resort（最後的手段）。【參照出題來源】 ***make a purchase*** 購買
第二段 第 4 行	… adults that *have depended* on…. → … adults that ***depended*** on…. * 與現在無關，該用過去式。 … *materials* for…. → … ***material goods*** for…. * materials 是「物質；材料」，依句意，應改成 material goods（有形的商品）。
第二段 倒數第 4 行	*Important* issues…. → ***Feelings about important*** issues…. * 因爲動詞是 repress（壓抑），所以被動式的主詞，應該是 Feelings 才合乎句意。
四、閱讀測驗 第 36 至 39 題 第 1、6 行等	... *TOD* → TOD * 縮寫字不可用斜體。
第 41 題 答案 (A)	(A) *To attract others.* → (A) ***To show their attitude toward life.*** * 主要是顯示他們對生活的看法，並非要吸引他人。
第 44 題	What's the writer's purpose *of* writing this passage? → What's the writer's purpose ***in*** writing this passage? 或 → What's the ***purpose of this passage***? * in writing this passage 是副詞片語修飾動詞。
第 44 至 47 題 第二段 第 1 行	Some other *children like* Nathan White, …. → Some other ***children, like*** Nathan White, …. * like Nathan White 是挿入語，前後都須有逗點。（詳見 p.650）
第 48 至 51 題 第三段 第 1 行	…, a student *of* Central Michigan University, …. → …, a student ***at*** Central Michigan University, …. * 只能說 a student of business（商科學生）、a student of biology（生物系的學生），在某一所大學就讀，須用 at。（詳見「麥克米倫高級英漢辭典」p.2182）

【2010 年大學入學指定科目考試勘誤表】

題　　號	修　　正　　意　　見
三、文意選塡 第一段 第 4 行	…, including e-mail and instant messaging. → including ***in*** e-mail and instant messaging. * 依句意，須加上 in 才合理。

【2007年第一次國中基本學力測驗勘誤表】

題　　號	修　　正　　意　　見
第11題	... Since then he has *always* believed that…. → ... Since then he has believed that…. * 這是中英文的思想不同，在英文裡，多了 always，句意重覆，因爲有 since then「從那時起」，用現在完成式已經表示「一直」，就不需要 always。
第21題	... Lois *is* still *wondering* whether…. → ... Lois still ***wonders*** whether…. * wonder 是「不知道而想知道」，still wonder 是「仍然想知道」，不能說「正在仍然想知道」，不能用進行式。而常聽到的 I was wondering…是客氣的說法，問別人「我是否…」。
第26～27題 第1行	There are four stores near the Jones' *family*. → There are four stores near the Jones' ***house***. * 原句顯然是中式英文，這裡的「家」，是指「房子」，而不是 family。
第28～29題 第4段	Come and ride a bicycle *under the sun*…. → 應把 under the sun 去掉 * under the sun 意思是「天下；世界上；到底」，如果要說「太陽下」，應該是 in the sun。
第30～32題 倒數第5行	So we *have learned* how to do housework *since* we were very young. → So we ***learned*** how to do housework ***when*** we were very young. 或 So we ***have been doing*** housework since we were very young. * learn 這個動詞在此不能用完成式，因爲學會就是學會，不能持續。這個句子的錯誤，是中式英語。
第33～35題 第15行 第33題(C)	New Age is open until *12 o'clock*. → New Age is open until ***twelve o'clock***. 或 New Age is open until ***12:00***. She has to go home before *12* at night. → ... ***twelve*** at night 或 ***12:00*** at night. * 這是書寫英文的錯誤，受到中國思想的影響。
第38～39題 第4段	… Mom called *back* and told me that Dad *was hit* …. → … Mom called and told me that Dad ***had been hit*** …. * call back 是「回電」之意，所以須把 back 去掉，「打電話回家」不是「回電」；爸爸「被撞」比媽媽打電話更早發生，應用過去完成式。(詳見 p.338)

題　　號	修　　正　　意　　見
第 40～42 題 第 3 段	But Wayne is *always* smarter than I. → 應把 always 去掉，或改成 But Wayne ***has always been*** smarter than I. * 句中用 always，其實是中式英文，就像你不能說 She is always beautiful. 現在式已表示不變的事實，不得再重覆使用 always。
第 43～45 題 第 5 段	I'm sure we're going to have fun *in* this trip. → I'm sure we're going to have fun ***on*** this trip. * 在 trip 之前的介系詞應用 on。(詳見 p.594)

【2007 年第二次國中基本學力測驗勘誤表】

題　　號	修　　正　　意　　見
第 7 題	He has *always* wanted to sing on TV since he was a child. → He has wanted to sing on TV since he was a child. * since 之前用現在完成式，已經表示「一直；總是」，不需要再用 always 來重覆。
第 11 題	… I could see the words *better* on the blackboard. → … I could see the words on the blackboard ***better***. * 原句如果不改，則表示 I could see the words better if they were on the blackboard than if they were somewhere else. (the wall? the ceiling?)「字在黑板上，比字在其他地方（牆上嗎？天花板上嗎？）我看得更清楚」。但本句並沒有要比較字在哪裡看得比較清楚。 the words on the blackboard 源自 the words ***that were*** on the blackboard，句中 words on the blackboard 是一體的，不可分開。
第 32 題	*Which* made Bill and Jill think that Taiwan was just like America? → ***Which fact*** made Bill and Jill think that Taiwan was just like America? 或 ***What*** made Bill and Jill think that Taiwan was just like America? * which 是指「哪一個」，應改成 which fact「哪一項事實」，或 which of the following facts「下列哪一項事實」，如果只用 which，句意不清。what 是指所有的可能。("Which" is for a subject ; "what" is for all possibilities.)

【2008年第一次國中基本學力測驗勘誤表】

題　號	修　正　意　見
第28題	On which day *would* Emily *join* the talk? → On which day ***will*** Emily ***attend*** the talk? * 前句的 She would like to know 中，would like = want 是現在式，和下一句的時態無關，單純的未來應用 will。 talk 在此作「講座」解，「出席；參加」講座，應用 attend。join 也是「參加」，但是指「成爲…的一員」，如：join the army（從軍），join a club（加入俱樂部），在此用法不合，因爲 talk 在此作「講座」解，並非「談話」。
第40～42題 第4行	*cheese cake* → ***cheesecake*** * 在所有字典上，cheesecake（起士蛋糕）都是一個字。
第41題 (C) 最後一行	… stop at *2* o'clock. → … stop at ***two*** o'clock. 或 → … stop at ***2:00***. * 這個錯誤去年已經出現過，參照「2007年第一次基測勘誤表第33-35題第15行，及第33題 (C)」。
第43～45題 第3行	… has *started* a green plan…. → … has ***had*** a green plan…. * start 作「發起」解時，是一時性動詞，不可用完成式。（參照 p.336）
倒數第3～4行	… the city has become cleaner and *younger*…. → … the city has become cleaner and ***looks younger***…. * 城市不能變成更年輕，只能「看起來」更年輕。

【2008年第二次國中基本學力測驗勘誤表】

題　號	修　正　意　見
第26～27題 左邊第10行	He thanked me and *asked me about my name and my school.* → He thanked me and ***asked my name and the name of my school.*** 或 → He thanked me and ***asked me what my name was and about my school.*** * 這句話是中式英文，不能說「他謝謝我並問關於我的名字及我的學校。」*asked me about my name* 是明顯的錯誤，只能說 asked me about my school（詢問我關於我學校的情形）。
右邊第3行	He *knew* it → He ***knew about*** it * know 當不及物動詞，後接 of 或 about 時，表示「知道某事的情況」，用於「非直接知道」的場合。（詳見「群力英漢辭典」p.658） 例如：I don't know about that matter.（我不知道那件事的情況。） I happened to know about him.（我碰巧知道他的情況。）

題　號	修　正　意　見
第 28～29 題 圖片右下角	*City's Library* → ***City Library*** * City 'Library（市立圖書館）是複合名詞，其他如：city 'hall（市政廳）、city 'council（市議會）、city 'government（市政府）。第一個名詞表地方時，重音在第二個名詞。（詳見第一冊附錄 p.60） 在這裡 City Library 因爲是在地圖上，所以用大寫。兩個名詞所組成的複合名詞，就像單一名詞，當作慣用語，不能用所有格的形式表示。
第 32～33 題 第 8 行	…in front of *the* Sea Animal World → 把 the 去掉 * 原則上，專有名詞前不能加冠詞，除了機關學校、醫院、商店、或公共建築物的名稱，才要加 the，像 the White House（白宮）、the National Taiwan University（國立台灣大學）等。（詳見 p.62, 217, 218）
第 38 題	(B) *People* need to... → ***All people*** need to... (C) *People* look the same... → ***All people*** look the same... (D) *People* feel sorry for... → ***All people*** feel sorry for... * 文章中母親並沒有說：People need to be loved. 而是說：We are all the same in that we all need to be loved.【in that = because】選項 (A) People 可改成 All people，也可以不改，因爲 People 也可以指「世人」或「人類」。
第 42 題	(C) *The* love for music. → ***A*** love for music. 或 ***Her*** love for music. * love 作「愛好」解時，可用 a love 或 love，像 He has a great love for music.（他十分愛好音樂。）
第 43～45 題 第 7 行	...come *watching*... → ...come ***to watch***... * come watching 表示「一面來一面看」，不合乎句意，例如：He came running to visit me.（他跑來看我。）（詳見 p.453）
第 43 題	(B) …slow *in moving*. → …slow ***when moving***. 或 …slow ***in their movements***. * 從屬連接詞 when、while、if 等所引導的子句，句意明確時，可省略主詞和 be 動詞。句中 when moving 是 when they are moving 的省略。 當動詞本身有純粹名詞形式時，就不能用動名詞來代替純粹的名詞，例如：He deserved *punishing*.（誤）He deserved ***punishment***.（正）（詳見 p.431）
第 44 題	(C) *Big and strong*. → ***Big***. * gigantic 只有「巨大的」意思，英文解釋是 very large，沒有「強壯的」意思。

【2009年第一次國中基本學力測驗勘誤表】

題　號	修　正　意　見
第 11 題	…didn't *even leave* one… → …didn't ***leave even*** one… * even 修飾 one 才合乎句意。
第 12 題	At *dinner time*, I often… → At ***dinnertime***, I often… * dinnertime（正餐時間）是一個字（= *dinner hour*）。
第 13 題	*When she studies in an art school there, she will live with her aunt for five months.* → ***She will live with her aunt for five months while she studies in an art school there.*** * 須改寫，否則句意不合理。
第 20 題	I heard there are many monkeys *in this mountain.* → I heard there are many monkeys ***in the mountains***. 或 → I heard there are many monkeys ***on this mountain***. *「在山裡」是 in the mountains【在此要用複數形】;「在山上」是 on the mountain;「在這個山上」是 on this mountain。in 後面加大地方，如 in the rain（在雨中）、in the dark（在黑暗中）、in the fields（在田裡）。
	But I didn't…*last time when* I was here. → But I didn't…***last time*** I was here. * last time, next time, each time, every time 已經是連接詞，不須加 when 了。（詳見 p.498）
第 21～23 題 倒數第 2 行	…colors *on* your hair? → …colors ***in*** your hair? * 和頭髮融合在一起，用 in，像 She has some paint in her hair. 或 I still have some shampoo in my hair. 如果是「戴浴帽」，就用 on，例如：I have a shower cap on my hair.
第 24～26 題 第 3 行	This year I *have* many chances… → This year I ***have had*** many chances… * 依句意，應用「完成式」。
第 26 題 (A)	I'm *going* back home. → I'm ***coming*** back home. * 原則上，come 是「來」，go 是「去」，但有時必須用 come 來代替 go，表示親切。 例如：I'll come to see you.（我會去看你。） Mom, I'm coming home.（媽，我要回家了。） 【小孩打電話時常說】 I'm coming soon.（我很快就來了。） （詳見「一口氣英語⑪」第 7 課）

題　號	修　正　意　見
第 27～28 題 第 1 行	Four students *of* Class 705… → Four students ***in*** Class 705… * 用 of 表示「向～學習」，如 I'm a student of Miss Lee.（= *I'm learning from Miss Lee.*）「在」班上，應該是用 in。
第 31～33 題 右上方的廣告	Open at *6 o'clock* every morning → Open at ***six o'clock*** every morning 或 → Open at ***6:00*** every morning * 這個錯誤去年和前年都出現過，參照「2008 年第一次基測勘誤表第 41 題 (C) 最後一行」，及「2007 年第一次基測勘誤表第 33-35 題第 15 行，及第 33 題 (C)」。書寫英文很正式，不能隨便寫個 *6 o'clock*（誤）。
第 34～35 題 第 1 行	…train station *of* Jenny's town in… → …train station ***in*** Jenny's town in… * 中外文化不同，Jenny's town 的火車站，英文應該是「在」Jenny's town 的火車站。
第 34～35 題 第 5 行	It took me three hours from New Town Train Station *to here*. → It took me three hours from New Town Train Station ***to get here***. * It 代替後面的不定詞片語 to get here。(詳見 p.113)
第 38～39 題 第 7 行	…Black House *of* Ice Mountain… → …Black House ***on*** Ice Mountain… * 詳見第 20 題的修正意見。
第 40～42 題 第 3 行	…bank *of* the world was… → …bank ***in*** the world was… * bank of 只能用在專有名詞中，像 Bank of America（美國銀行）。
第 40～42 題 倒數第 4～5 行	…open space *for sharing* news, *shopping*, or *playing* sports. → …open space ***to share*** news, ***shop***, or ***play*** sports. 或將… *for* sharing news… 改成… ***for the purpose of*** sharing news…。 * for 不可加動名詞表「目的」，表「目的」應該用 for the purpose of 或 for the sake of 等加動名詞。(詳見 p.571)
第 41 題 (D)	*Walls* that were… → ***The walls*** that were… * 後有修飾語，名詞前必須加定冠詞。(詳見 p.217)
第 44 題 (A)	They do *more* but… → They do ***a lot*** but… * 根據文章倒數第三行，They work hard and never ask for much… 可知，必須把 more 改成 a lot。

【2009年第二次國中基本學力測驗勘誤表】

題　號	修　正　意　見
第29～30題 第1行	Do you remember…*during school days*? → Do you remember…***during your school days***? * during 後面須用固定時間，必須加定冠詞或所有格，依句意，應加 your。
第2行	Are you *ever* interested in playing basketball… → Are you interested in playing basketball… 或 → ***Have*** you ever ***been*** interested in playing basketball… * 這是中式英文，ever（曾經）通常要和「過去式」或「現在完成式」連用。
第3行	How long *haven't you run and jumped* as you like? → How long ***has it been since you ran and jumped*** as you like? * 這句話是中式英文，問「自從…以來已經多久了？」須用「How long has it been since + 過去式？」的形式。
第33～34題 第2, 3行	…called to tell you *Sweet Cookies* you ordered last week has arrived. → …called to tell you ***that*** *Sweet Cookies*, ***which*** you ordered last week, has arrived. 或 → …called to tell you *Sweet Cookies*, ***which*** you ordered last week, has arrived. * 應改成 that 引導名詞子句，做 tell 的直接受詞，但 that 可省略或保留。專有名詞的後面，不得有「限定用法形容詞子句」，但「補述用法形容詞子句」應用 which 引導，且前後須有逗點。「限定用法形容詞子句」和「補述用法形容詞子句」的區別，詳見 p.162。

【2010年第一次國中基本學力測驗勘誤表】

題　號	修　正　意　見
第14題	Sandy : How was your vacation in America? Linda : It *couldn't be* worse! → It ***couldn't have been*** worse! * 用過去式問，要用過去式回答。 It *couldn't be* worse!「糟透了！」是現在式和未來式。過去式應改成：***It couldn't have been worse!*** 才對。

【2010年第二次國中基本學力測驗勘誤表】

題　　號	修　　正　　意　　見
第13題	I don't know how much it *is*. → I don't know how much it ***was***. *「我不知道當時它是多少錢」，依句意爲過去式，故 *is* 應改成 ***was***。
第17～20題 第2,3行	*They all grow up and live with it all their lives.* → ***They all grew up with it***. 或 ***They have lived with it all their lives***. *原句是中文思想，句意重複。
第4行	*In the old times*, people in the town… → ***In the old days***, people in the town… *依句意，應將 In the old times「在古時候」改成 In the old days「很久以前；當年」(尤指記憶中的快樂時光)。
第7行	Those clothes *with* different colors… → Those clothes ***of*** different colors… *「不同顏色的衣服」應是 clothes ***of*** different colors。
第21～23題 第1行	A small town has a good…a lot of money, if it has… → A small town has a good…a lot of money if it has… *標點符號錯誤，副詞子句放在主要子句後，前面不需要逗點。
第7行	…, coffee shops *are* opened all over Gukeng, and… → …, coffee shops ***have*** opened all over Gukeng, and… *依句意，「已經開了」很多咖啡店，故須將 are 改成 have。
第8行	…on the sidewalks *in* or after a day's visit. → …on the sidewalks ***during*** or after a day's visit. *依句意，「在」一整天遊覽「的期間」，介系詞應用 during。(詳見 p.570)
第32題	…of May 5, when should they be watered *next time*? → …of May 5, when should they be watered ***next***? *next 即可表「下一次」，例如：When shall we meet next?（我們下次什麼時候見面？）已經有 when 表時間，不需要再加 time。
第33題(B)	Joyce is *going on business* for two weeks.【去哪裡出差未講清楚】 → Joyce is ***going away on business*** for two weeks. 或 Joyce is ***going on a business trip*** for two weeks. * ***on business*** 因公；因商務（詳見 p.595） ***go away on business*** 去出差（= *go on a business trip*）
第43題	What can we learn about Eric *in* the reading? → What can we learn about Eric ***from*** the reading? *「由」本文可知，介系詞應用 from。(詳見 p.575)

文法寶典（五）

編　　著／劉　毅

發 行 所／學習出版有限公司　☎ (02) 2704-5525

郵撥帳號／0512727-2 學習出版社帳戶

登 記 證／局版台業 2179 號

印 刷 所／裕強彩色印刷有限公司

台北門市／台北市許昌街 10 號 2 F　☎ (02) 2331-4060

台灣總經銷／紅螞蟻圖書有限公司　☎ (02) 2795-3656

美國總經銷／Evergreen Book Store　☎ (818) 2813622

本公司網址 www.learnbook.com.tw

電子郵件 learnbook@learnbook.com.tw

售價：新台幣二百八十元正

2014 年 6 月 1 日新修訂

ISBN 978-986-231-061-8